消された
南の島の物語
上間信久

はじめに

2018年9月 16日は安室奈美恵さんの引退の日です。彼女の 25年に亘る活躍は、沖縄に対する日本人の見方を大きく変えてくれました。沖縄の人たちはもとより日本列島の地方や都会の片隅に追いやられていると感じている人たちにとっても、彼女は生きる勇気と希望とを与えてくれました。彼女の引退を惜しむ声が全国津々浦々から聞こえてきますが、いずれまた、後を継ぐ誰かが 20年後までには誕生している筈であります。そして今度はあなたが、この本をキッカケにして友を勇気づけ、背中を押してあげられるような人になって欲しいと強く願っているのです。

しかしです、沖縄に対する無意識の偏見と言いますか、かたよった見方は、日本列島からまだまだぬぐい去られてはいないのです。なので、安室さんの後に続く人たちを各分野で育てていく力が必要だと思っているのです。特に政治や経済の分野では、急を要しています。

急と言ってもこの4〜5年ぐらいのことではありません。50〜100年後のことを考えながら〈今を生きよ!〉ということです。琉球諸島群は、長い間に亘って様々な課題が積み重なっていて、今すぐ解決するにはあまりにも難しいことが多すぎるのです。なので、100年から200年先の遠い所に目標を置いて、しぶとくやり抜く習慣を身につけること。今、自分では解決できなくても、行動をつなぎ続けていたら次の誰かが必ず形にしているサアー。という風な考えがあれば自然と余裕が生まれてきます。

沖縄の島々が抱えている重い問題を解決する為には、どうしてもかける時間を長くとるようにすることが大切だと思っています。何故か、ですって?

私は琉球諸島の島々の歴史は2000年かけて7回も根っこが切られてきたと思っています。それでも沖縄の島々が〝たおやかに・なごやかに〟生き抜いてこられたのは、①ウナイ(一族をまとめ力づける女性たち)がいたからである!と、このように考えています。
長い時間をかけて形づくられてきた沖縄に対する歪んだ考え方を直すには、どうしても時間をかける必要があり、一朝一夕に解決するという訳にはいかないのです。では、日本列島の南の島々に対する〈歪んだ意識〉はどのように形成されてきたのでしょうか？

私がこの問題を考えざるを得なくなったのは、19歳の時の経験であります。神戸大学に留学した時のこと。「君は日本人なのか？」というクラスメイトの発言が出発点でした。沖縄が県ではなく、アメリカのいわゆる〈信託統治の地〉で、米民政府発行のパスポートを持った〈留学生〉でしたので、彼の発言もあながち無礼ではなかったのです。沖縄に対する情報が限られていたんですね。

この経験から50年あまりかけて、〈日本人と沖縄・琉球人〉について私が考えてきたことを物語にしてみることにしました。

これはあくまでも物語であって、学術的なものではありません。あなたが何らかの形で自分の島々の歴史や文化について壁にぶち当たり発想を切り換えて脱皮したいと思った時に、少しでも参考になればと思って筆を取ったものです。では、私達の琉球諸島群（この物語では、台湾島から八重山・宮古・沖縄諸島・奄美群島から屋久島までの島々）が粗末に扱われるようになったのはどうしてか？それを知る糸口が何であったのか？ここから物語を始めることにしましょう。

①本来は、妹（おなり・うない）が兄（えけり）を霊的に守護するという琉球の島々に根づいた考え方。それが次第に家庭に持ち込まれ、一族郎党を守る女性に変化。各家庭には身内をまとめ元気づけるウナイが必ずいたが、最近は時代の変化とともに失われつつある。

消された南の島の物語◉目次

【目次】

第1章　南島を切り捨て封印せよ

〈黄泉比良坂《よもつひらさか》〉

琉球諸島群・沖縄の島々に対する「偏見」が日本列島に生まれたのは、どうしてなのか？その理由を教えてくれたのが、沖縄口(ウチナーグチ)だったんです。実は、この言葉の中には、古い時代の日本や沖縄のことを知ることができるたくさんのヒントが埋まっています。

例えば、『古事記』に出てくる黄泉比良坂《よもつひらさか》です。これは、「現世とあの世との境目にある坂」と説明されていて、この坂がどこにあるのか、と長い間論議もされてきたのですが、はっきりとした答えは出ていません。ところがです、不思議なことがあるものです。昭和15年のことですが、島根県松江市の東出雲という町に比良坂の伝説があるということで、この町の人々は石碑を建てたんです。

『古事記』が書かれた時代に〈比良坂ゆかりの地〉としての石碑が建っているのなら納得もできるのですが、昭和15年というのでは、あまりにも唐突で、神話全盛時代の昭和人がこじつけた、という気がしてならないのです。

どうしてかと言いますと、比良坂が問題なのです。比良坂をどう解釈するのか、ということなのです。日本列島の知性たちは、「比良坂はどこにあるのか？」と血眼になって探してきました。出雲か伊勢か、日本のどこかにあるのではないか？とですね。そんな坂は千年探したって見つかるはずがない！と言うと、何を寝ボケたことを！と怒る人もいるでしょう。ですけれど

黄泉比良坂

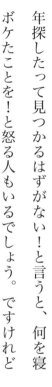

も、昔の言葉を知っていたなら、ナルホド！と納得せざるを得なくなるはずです。

ところで、この物語を進めるに当たって、その進行役としてハビルとタオに登場してもらうことにします。

「ハビル」とは「ハーベーラー」とか沖縄口《ウチナーグチ》では蝶々のことを意味する言葉です。

沖縄では蝶々は、黄泉の国へ案内する「もの」と考えられていて「あの世とこの世とを行ったり来たりする不思議な存在なんだ」とですね？

ハビルのことを詠《うた》った琉歌に「飛《とう》び立《た》ちゅる蝶《はびる》、まじゅ待《ま》てぃ連《ち》りら花ぬむとぅ我身《わみ》や知《し》らんあむぬ」というのがあります。これは「飛ぼうとしている蝶々さんよ！待ってチョウダイ！私の魂が生まれたところを知らないから、一緒に連れて行ってヨ」と様々な解釈がありますが、私はこのように訳しています。

また透逸な精神科医として世界的に有名なエリザベス・キューブラ・ロスさんも『死ぬ瞬間』という著書で「死ぬ瞬間を迎えた人は、皆同じように光と蝶の姿をみる」

と語っています。私は琉球諸島群の古代史は闇に葬り去られていると思っていますので、その闇に光を当てるナビゲーターとして、ハビルに「島々の本物の世界」へ連れて行ってもらう役を与えたのです。

更にタオですが、これは「道」という中国語です。

琉球諸島群が、これまで辿ってきた古代の歴史の姿は謎だらけのままです。歴史を専門にしている人たちは言うのです。

「1000年以前の諸島群は、貝塚時代であり、原始社会であって歴史として記録された資料はない！」とですね。まるで文献がないと歴史はないと言わんばかりなのです。

人間社会が始まってから、島々に住む人たちの生活は続いているのですから、たとえ歴史的な記録や資料がなくてもですね？古い遺跡から出土した断片などをひとつひとつ繋ぎながらおぼろげな姿であっても浮かびあがらさねばなりません。「闇に葬られた消された島々の古代史を、あるいは封印されているもの」をです。

この封印を解き、島々の古代の姿を暗示する人として、タオに代表してもらいます。

それでは、ハビルとタオに語ってもらいます。

ハビル「ヒラサカが見つからないって、どうして断言できるの？」

タオ「だって、ヒラとサカは同じ意味の言葉だもんね」

ハビル「同じ意味ですって？まさかー」

タオ「そう！その真坂《まさか》、南の島々から渡ってきた人たちは、サカのことをヒラと言っていた」

ハビル「サカをヒラって言っていたというんですか？」

タオ「沖縄の島々では、今もそのヒラって言葉が残っている」

ハビル「なら…サカって言葉を使っていた人たちも居たってこと？」

タオ「そう！坂をサカって言っていた人たちは、朝鮮半島経由で日本列島にやってきたと思っているよ」

ハビル「半島経由の部族と南の海を島づたいに渡ってきた人たちが一緒に居たってこと？」

タオ「いろいろな文化や言葉を持っている人たちが、この日本列島にたくさん入り混じっていて、仲良く暮らしていた時代があったと思うんだよ。だから、お互いの話が判り合えるように、つなぐ言葉が必要だった、とね」

ハビル「ヒラとサカをつないだってことなの？」

タオ「そう！ヒラと言う人たちは坂が判らない。サカの言葉を使っていた部族はヒラがわからない…」

ハビル「それでくっつけたと？」

タオ「そう！その通り！ヒラ・サカにして坂という言葉にしたんだね。これは皆が仲良くしていた時代の置き土産でしょうね」

ハビル「比良坂は固有名詞ではなくて、ヒラとサカと2つつなぎ合わせて坂という意味の、いわば共通語ってわけ？」

タオ「実にいい表現だよね、ホントに！お互いが通じ合う共通語でしかない。だから、千年探したってそんな坂ある訳がない！ってね」

ハビル「ふーん、凄いじゃないのよ～、どうしてタオはそんなことが判ったの？」

タオ「実はー、沖縄に三弦《サンシン》の名手がいてね、トーカチ、つまり米寿のお祝いの歌がヒントだった」

ハビル「どんな歌なの？」

タオ「ウチナーグチ（沖縄口）でね、※ユニぬサカ・ヒラん安々《やしやし》とぅ上《ぬぶ》てぃ…というところ」

ハビル「全然わからない！どんな意味なの？」

タオ「ユニというのは米のことで、ここでは米寿のこと。サカ・ヒラというのは、八十八の坂も安々と越えて…という意味」

ハビル「沖縄には、まだまだそのような言葉が残っているなんて…比良坂が固有名詞でないってことがハッキリするではありませんか」

タオ「でしょう?ウチナーグチを理解しているとね、すぐにわかることなんだよね」

ハビル「判らなくて残念!くやしいです!」

タオ「ウチナーグチからは、日本の古い時代が良く見える!」

ハビル「日本の古代が見える!ですか。なら、まさかとは思うけど、その他にもあるの?」

タオ「まだ僕を信じていないようだね~。まあ、無理もないか!それなら、もうひとつだけ。日本語でお腹のことは何と言う?」

ハビル「ハラでしょう?」

タオ「ウチナーグチではワタと言う」

ハビル「ワタ!ですって?」

タオ「そう！2つの言葉をつなぐと、どうなる？」
ハビル「ワタとハラ…あっ！ハラワタ！こんなことって！ハラとワタが一緒になってお腹？」
タオ「そう！古い日本語を日本人は忘れてしまいましたからねぇ。ことばの意味が判らなくなっているんだよね。悲しいことです。ウチナーグチからは、古いふるーい日本の姿がよく見えるんですがね」
ハビル「沖縄の言葉って、今も私たちに大事なヒントをくれているんですね。古い言葉、万葉の言葉を知るってことは、自分の根っこを知る、そういうことなのね？」
タオ「よくよく、考えるのです！」

※琉球語あるいは沖縄口《ウチナーグチ》の母音は、アイウまでの3母音しかなく、エとオがない。エ

はイに、オはウになり、ア行はアイウイウ、カ行はカキクキクという風になる。この為・米（ヨネ）の場合は、ヨはユに、ネはニに変化して、ユニになる。この基本を知っていると沖縄口を理解するのに大いに役立つ筈です。

比良坂は、ウチナーグチ(沖縄口)を入り口にするとヒラとサカで坂を意味する共通語になり、固有名詞ではない、ということが判るのですが、しかしこれはあくまでも私の考えです。

いずれ君たちの誰かがしっかりと研究して堂々と世間に発表してくれる日がくるものと信じています。

では、この比良坂《ヒラ・サカ》の物語が私に何を教えてくれたのか？です。

〈比良坂《ひらさか》が封印したもの〉

イザナギとイザナミが出合う黄泉比良坂のくだりにはとても重大な秘密が隠されています。ヒラとサカは合体して坂を意味する古代の共通語であった、ということがこの秘密を知る鍵になりました。それでは、ヒラ・サカの物語の大雑把な筋です。

①夫のイザナギは、イザナミが死んだので、会わせて欲しいと神様にお願いした。

②神様は願いを聞いて黄泉《よみ》の国へ行けるようにした。

③イザナミはイザナギに対して、私がよいと言うまで後を振り返らないようにと言った。

④イザナギは、その約束を破り、振り返ったらイザナミは化け物だった。

⑤驚いたイザナギは、黄泉比良坂を逃げに逃げた。
⑥魔物が追いかけてきたので桃を投げて追い払い、イザナミが再び出てこないように大きな石を置いて助かった。

ここまでの筋には、様々なことが暗示されていますので隠されたものが何であるかを紐解いてみます。

物語のポイントは桃と大きな石です。話をわかりやすくする為に、魔よけに②桃を投げるのは、中国大陸を暗示していますので、③イザナギは男性で、大陸から半島経由で日本列島にやってきたサカの言葉を使う人たちと設定。また、④イザナミは女性で、南から海を渡って日本に辿り着いたヒラの言葉を使う部族たちとしますと、その姿が見えてくるから不思議です。あの2人にまた話をしてもらいます。

イザナギは大石でイザナミを封印した

ハビル「どんな姿が見えるんですか？多分ワクワクすることですよね？その言い方は」

タオ「この物語は、古代の日本で起きたことを暗示しているんだよね〜」

ハビル「アンジですって？」

タオ「そう！この物語が指し示そうとしているものなんだがね」

ハビル「へぇ、どんなことなんですか？」

タオ「桃を投げるってことは、邪魔者を追い払ったってこと！」

ハビル「ジャマモノですって？」

タオ「そう！大きな石を置いたのは、イザナミに代表される南からの歴史や文化を封印したってこと！」

ハビル「それって、サカ語とヒラ語が仲良くしていた時代が過ぎて新しい時代がきた、そういうことなの？」

タオ「面白い表現をしますねえ、ハビルさん。そうです。つまり、南からの文化は、新しい日本にとっては邪魔なもの、不都合な真実になったんです。」

ハビル「不都合な真実ですって？それってどういうこと？」

タオ「この物語ができた頃のリーダーたちにとって、どうしても消しておかねばならないことがあった、ということ。」

ハビル「南からの文化が、そんなに都合の悪いものだったんですか？」

タオ「サカ語族にとって、ヒラ語族が日本列島に辿り着いて作り上げた始祖日本の本当の姿が明るみに出るのは恐怖に近いものだった！と。こういうことなんだよなあ〜」

ハビル「恐怖に近いですって？どんなことだったのかしら」

タオ「自分たちのしでかした悪いことがバレるとね、折角つかんだ大きな力も水の泡になるってこと。だから不都合な真実は隠し通さないといけないんだってね」

ハビル「本当の歴史を隠したってことなの？」

タオ「そう！実に見事な連携プレーでね、時間をかけて創り上げた芸術品！と言っていい程なんだよねえ」

ハビル「芸術品のような嘘の歴史！ですか？」

タオ「どう思うかは自由ですがね、でもね、日本の古代史ってさ、本当のことが判らない不思議な国の物語になっているんだよね〜」

このヒラ・サカの物語ができたのは、『古事記』や『日本書紀』ができた710年頃から720年頃のことですが、しかし物語の比良坂のくだりは、神話時代のことを表現しているのであり、登場人物の設定は、今から約2000年前頃のことであります。これまで仲良くしていた様々な部族たちは、何らかの理由があって、争うようになったこと。つまり、イザナミの母系社会からイザナギの男性中心の社会へ移ったことを暗示している場面であり、きわめて重要なくだりです。ですからこの場面は、仲良くすることが不都合になった時代のことを表現しているのです。イザナミに代表される「南の文化・女性の巫力」で調和する時代は終わり、桃を投げて化け物を退治する「武力の時代」に移ったことを高らかに宣言しているのです。

また、「大きな石を置いた」のは、「南から伝わり根付いた海人（神）族のこころ・平和で調和を求める心を封印しましたよ」と勝ち誇り、雄たけびを上げているのです。これは一体！誰に対する勝利宣言なのでしょうか？それは紛れもなく、始祖日本の礎《いしずえ》をつくり上げてきた部族に対して、『古事記』や『日本書紀』を刊行したリーダーたちの勝利宣言なのです。これはまた、「琉球諸島群を経由して日本列島に伝えられた文化を封印し、根っ子を切る」第一回目の「島々の古代史を破壊する事件」なのです。「何の為に南海を渡ってきた部族の文化を封印し、断ち切ったのか？」

ことの真相を求めて様々な視点から迫り、明らかにしていきます。

②古代の中国で桃は、鬼を追い出したり、邪気をはらう魔よけの力があるとされていました。また桃にまつわる伝説に、女仙人の西王母《せいおうぼ》の物語があります。彼女が住む崑崙山《こんろん》には3000年に一度実をつけるモモ・蟠桃《ばんとう》が実り、人間の寿命をつかさどるとされています。

③イザナ・ギのギは、古代の日本語では突起状のものを表現した言葉であり、それは今では、クギ、ムギ、ツルギなどに残っていて、男性を表現している。

④イザナ・ミのミは「ミナ・ンナ」など巻貝のことで女性を表現している。女性器は沖縄口（オキナワグチ）では「ホーミ」という。

③④はいずれも『琉球語は、古代日本語のタイムカプセル』～具志堅敏行著より～

第2章　昔大むかし南島は語る

南の島々と黒潮の流れ

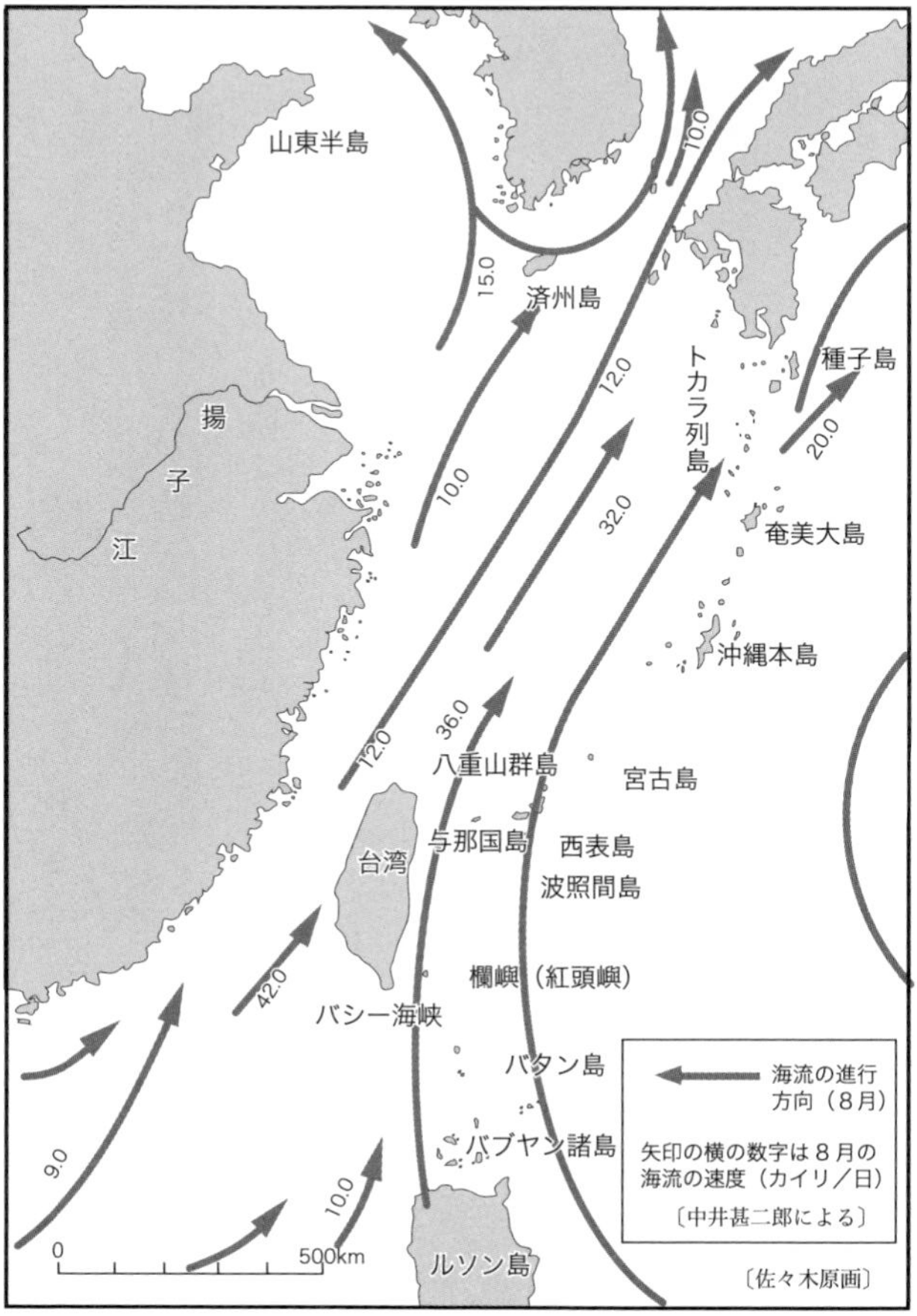

〈黒潮と始祖日本人〉

日本列島には南から太 平洋沿岸と日本海に向かって黒潮が流れ込んでいます。古代に、海に出て移動するには、黒潮の流れと夏と冬に吹く風とが重要でありました。構造船をつくり、黒潮にのり、南風に乗って長い年月をかけて次から次へと南から様々な人たちが日本列島に辿り着いて、それぞれが定着していきました。どんな種族や氏族が日本列島に辿り着いたのでしょうか?「どんな人々か?」を知るには、まず、時間軸は長く、視点は地球規模に広げなければなりません。それは、日本列島には3万年以上も前に、東西南北から様々な人たちが辿り着いているからであります。しかし、この物語では、テーマの上から、北からの移動については触れません。では、南から「どんな人々」が日本列島に辿り着き、また主な「出発地」はどこであったのか?などを明らかにしなければなりません。ここに格好の著書があります。『日本民族大移動』であります。著者の大宜味猛氏は、「日本民族の大本《おおもと》をつくった人々は、スンダランドから時間をかけて移動してきた様々な部族であろう。スンダランドは、東南アジアのスマトラ島やインドネシアを経て、ボルネオ島からフィリピンまで陸続きの大陸であった。」と指摘。氏はまた「気候変動によって海面が上昇して陸地が沈み始めたため、スンダランドにいた様々な部族が3万5000年前から移動を開始。1万4000年前には移動のピークに達したであろう」と分析しています。

氏の分析を裏付けるかのように、様々な発見が相次いでいます。しかも、そのほとんどが台湾から屋久島に至る、琉球諸島群からなのです。

スンダランド古地図

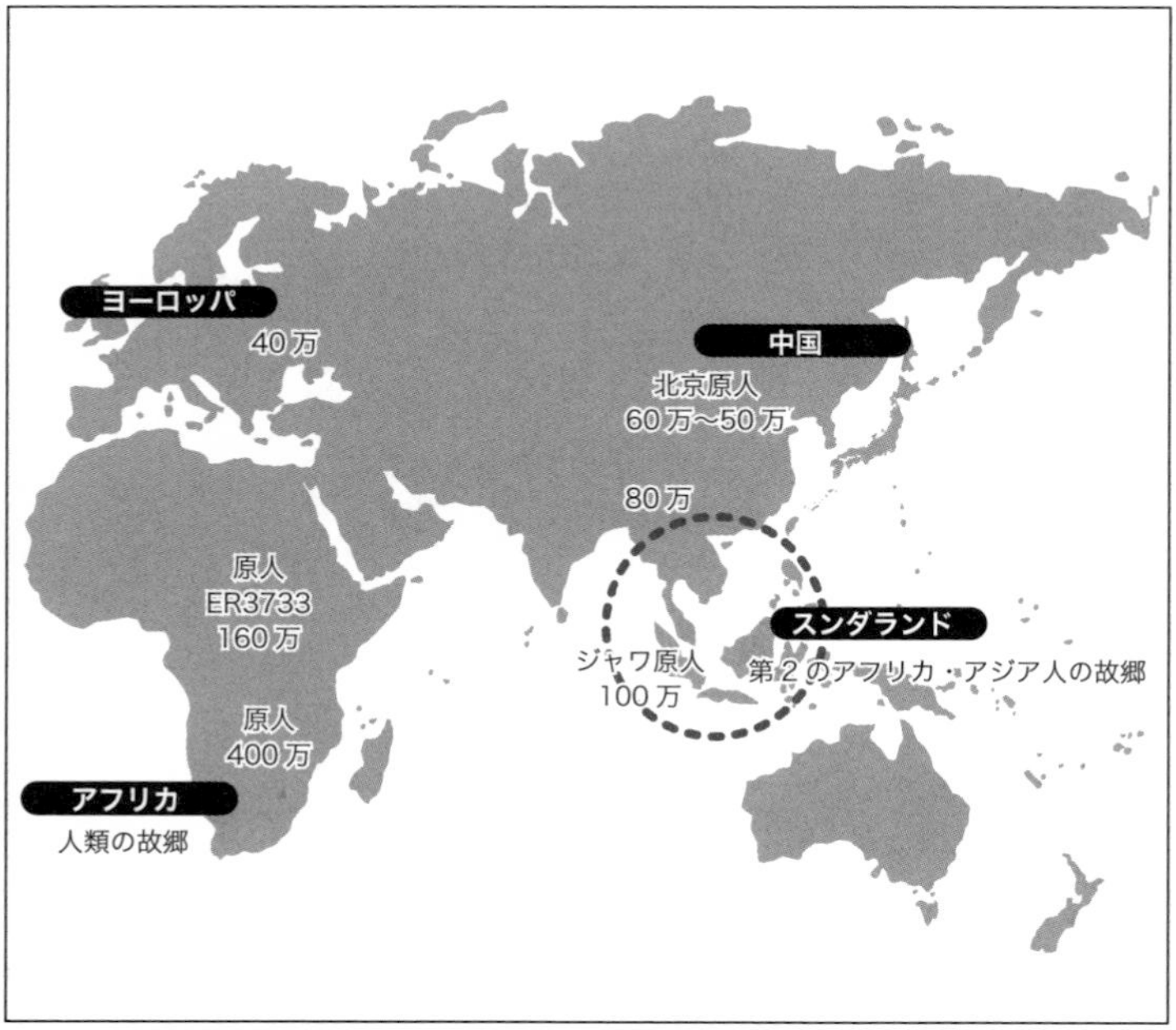

原人の拡散100〜25万年前
(九州大学『モンゴロイドの形成より』)

更新世後期
(2.5万〜1.5万年前：ウイルム氷期最盛期)

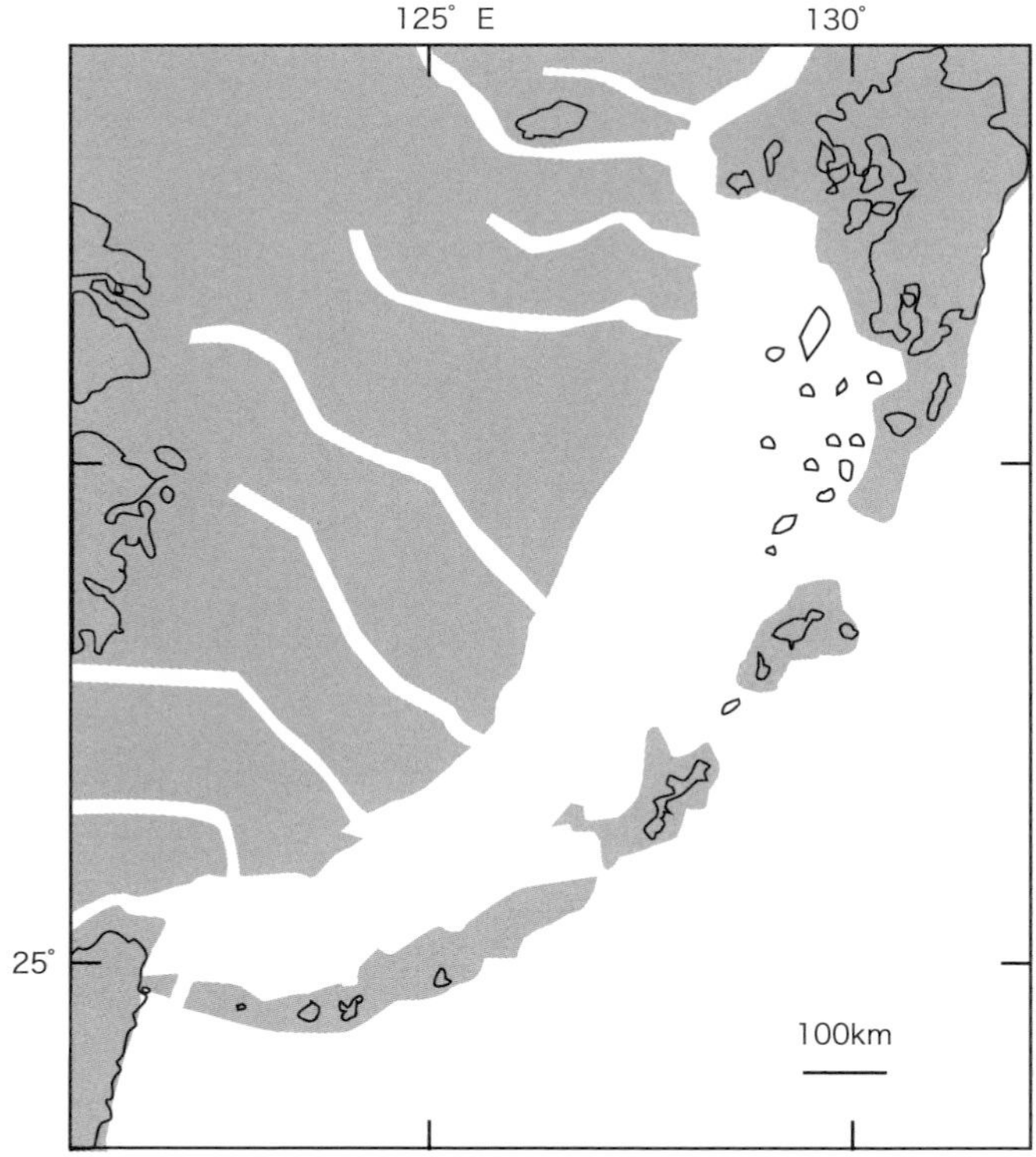

『琉球弧の成立と生物の渡来』
木村政昭編著より

この島々は、2〜3万年前から海に沈んだり台湾とつながったりと、大きな地殻変動をくり返しながら、今の姿になっています。

ですからサンゴ礁のお陰で、石灰岩の島々が多く、旧石器人の人骨がよく保存された世界有数の地なのです。石垣島からは、世界最古級と言われる2万7000年前の埋葬人骨が発見されました。この発見について、土肥直美・元琉球大学准教授は「旧石器時代の人骨が 19人分も出土するのは、世界でもありえない発見」と語っています。〜毎日新聞2017年5月19日より〜

更に土肥准教授らの必死の作業によりこの人骨から日本最古の人物の顔が復元され注目を集めています。また、沖縄本島南部のサキタリ洞からは、2万3000年前の世界最古の釣り針と共に人骨も発見されており、今後もドンドン新しい発見があるものと期待されています。

このような発見から、日本人のルーツにからむ様々な種族たちが移動し続けていることがわかります。ですから、倭人と称される人たちのご先祖様は、2〜3万年前から海に出て島づたいに、あるいは、大陸の沿岸に沿って様々な種族と混血をくり返しながら移動し、住む地域を広げて行った！とこのように私は考えています。

倭人について考えるときには、時間の軸を広げること。たった2〜3000年前のことだけを考えるのでは足りないし、それだけでは真の姿が見えてきません。

復元された最古の人の似顔絵

〈旧石器人と倭人とをつなぐもの〉

古い時代の人骨の出土によって、当時の人たちの移動の様子が考古学的にはよく判るようになってきました。ところが、彼等と私たち現代人とをつなぐものがあるかどうかですが、残念ながら確かな記録はありません。しかし、旧石器人と私たちの中間に倭人を入れて考えてみると、おぼろげながら、つながりが見えてきます。そのヒントになるものが中国の歴史書です。『魏志倭人伝』には、倭人について「倭の男たちは皆、顔に入れ墨をしていて、自分たちは太伯の子孫だと言っている」と。また、卑弥呼も「私は呉太伯の裔です」と語ったとされています。また『晋書』や『梁書』にも倭人の記録があって、ほとんど同じようなことが書かれています。では、倭人とはどんな人で、また太伯とは誰のことか？であります。

まず倭人とは、「海を移動するいろいろな部族の総称」であり、日本人だけのことを言うのではないこと。百越と呼ばれるほど沢山の倭人と称される人たちがいたんです。

また倭人の特徴のひとつが「背は低い」ということですが、これは沖縄本島の南部で発掘された2万2000年前の港川人によく似ています。

彼らの身長は男が平均して155センチメートル、女が145センチメートルで、これは中国の長江の南にいた柳江人やスンダランドを連想させるジャワ島のワジャク人にもよく似ていると指摘されています。2～3万年前の旧石器人と倭人たちは、どこかでつながっているのは確かなのですが、それを証明するような発見は今のところみつかっていませんので、歴史時代に戻り、呉太伯と私たちとのつながりについて探索します。

ところで「どうして私が数万年前の人類の移動や倭人について50年余りもこだわり続けているのか？」というのは、神戸大学のクラスメートが問うた「君は日本人なのか？」この一撃がズッと心に残っているからなのです。自分は何者なのか？とですね。更に私の発想を大きく転換させてくれたのが柳田國男の『海上の道』でした。学生時代

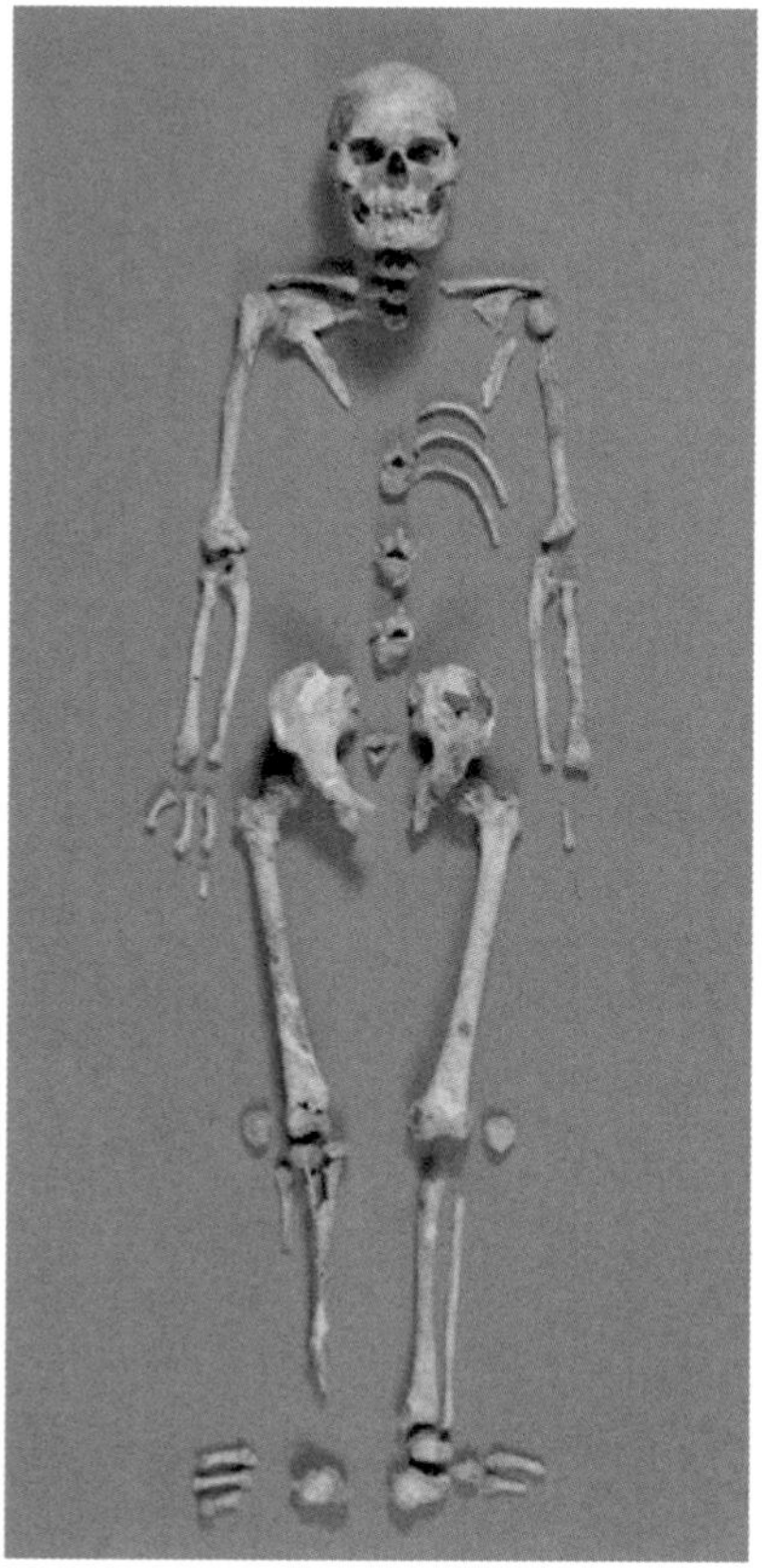

「港川１号人骨全身骨格」
東京大学総合研究所博物館提供

の私にとってはそれは目がくらむばかりの衝撃的な出会いで、琉球の島々のルーツを探る重要なヒントをくれたのです。彼の指摘は、「中国の殷の廃墟から出土したタカラ貝は、沖縄の宮古近海から運ばれたのではないか？」でした。それからの私は、タカラ貝を切り口にして番組を制作したり関係する本を手当たり次第に読みあさり辿り着いたのが周王朝の一族、呉太伯たちだったのであります。

第3章　海を渡った倭人たちの正体

〈呉太伯って誰のことか〉

呉太伯の移動について、私は2つの波があったと思っています。ひとつは、約3100年前頃のことです。中国の周の始祖は古公亶父《ここうたんぽ》。実は、この人の長男の名前が太伯《たいはく》で次男は虞仲《ぐちゅう》と言います。この2人は、断髪し、入れ墨をした倭人風な出で立ちで長江の南に移動します。そして瞬《また》く間に呉の国を建国します。それで長男は、呉の太伯、呉太伯と呼ばれるようになりました。呉国建国の理由は、当時の貨幣であった、タカラ貝の生産と流通とを支配し、殷を滅ぼす力とすることにありました。呉太伯と協力関係にあった倭人たちは、タカラ貝を求めて、黒潮の洗うサンゴ礁の島々に乗り出し、それぞれの拠点をつくりながら移動を続けた。これが第一の波。

もうひとつの波は、中国の春秋時代、今から約2500年前頃の呉の国のことで、紀元前472年に呉の王様である夫差が滅ぼされます。この時に海に押し出された呉王夫《ごおうふ》差《さ》の子孫たちが海外へ脱出した。これが第二の波。ちなみに、呉太伯の姓は姫(き)で、呉王夫差《ふさ》の姓も姫です。

中国では、同じ血族の者は、ずっと同じ姓を名乗っておりますので、太伯と夫差は同じ一族。夫差は太伯から数えて25代目の王様ですから、卑弥呼が語ったとされる「呉太伯の裔」も「太伯の後」という表現も全く違和感はなく、その意味は「周王朝に縁のある子孫ですよ！」ということなのです。

それでは太伯が周王朝の子孫であるから、日本人は太伯の子孫の国か？という話もありますが、それはとんでもないことであります。周の始祖である古公亶父本人が、倭人の血をひいた混血なのでありますから、語るに落ちた話です。なので、日本列島に南から辿り着いた倭人は、アジアの様々な種族の血を受け継いだ人たちであると言っても過言ではありません。

いわば、琉球諸島群と同じように日本列島は混血した様々な民の終着駅なのであります。

〈呉太伯の子孫とその仲間たち〉

では「呉太伯の子孫たち」は、いつ頃、どのようなルートを通って日本列島に移動してきたのでしょうか?大変に興味深いテーマであります。

このテーマにこたえる為には、少しばかり遠回りしなければなりません。問題点を3点ばかりあげてみます。

①太伯らは、何のために南に移動したのか?

②移動した集団の規模と移動ルートは?

③短期間で建国しなければならなかった理由は?

これらの疑問について仮説をつくってみました。

まず①について。南に移動した理由は、

「殷の時代の通貨は、タカラ貝であり、その集積地が長江の南にあった。これを押さえ財力を得るために移動した。太伯ら「姫」姓を持った一族は、中国の三皇五帝と呼ばれる神話時代から「姜」姓の一族と通婚をしていた。(白川静著『字通』姜より)姫氏は、殷にタカラ貝を運ぶ役割を担っており、この為に大陸沿岸部の東夷族とも誼《よしみ》を結んでいた。これら部族の協力を得て沿岸部を南下するのが容易で安全であった。」

つづいて②について。移動の規模とルートは、

「太伯と虞仲は、王家の長男と次男であり、南への移動には様々な部族が従った。その代表が姜氏一族であり、それと殷に善政を施き、中興の祖といわれた伊尹の郎党らが波状的に移動。その規模は数千人にのぼった。移動のルートは、陸路を避け、黄河を下って海へ。理由は、大陸沿岸部にはこれまでタカラ貝の流通で培い盟友となっていた東夷族らがおり、その拠点を経由することが最も安全なルートであったから。

ちなみに3100年前の中国には、山東半島全域に莱夷《らいい》族がおり、また半島を過ぎた南には夷が、さらにその南には淮夷《じゅんい》という風に東夷族が一大拠点を形成していた。」

3,200年前の中国

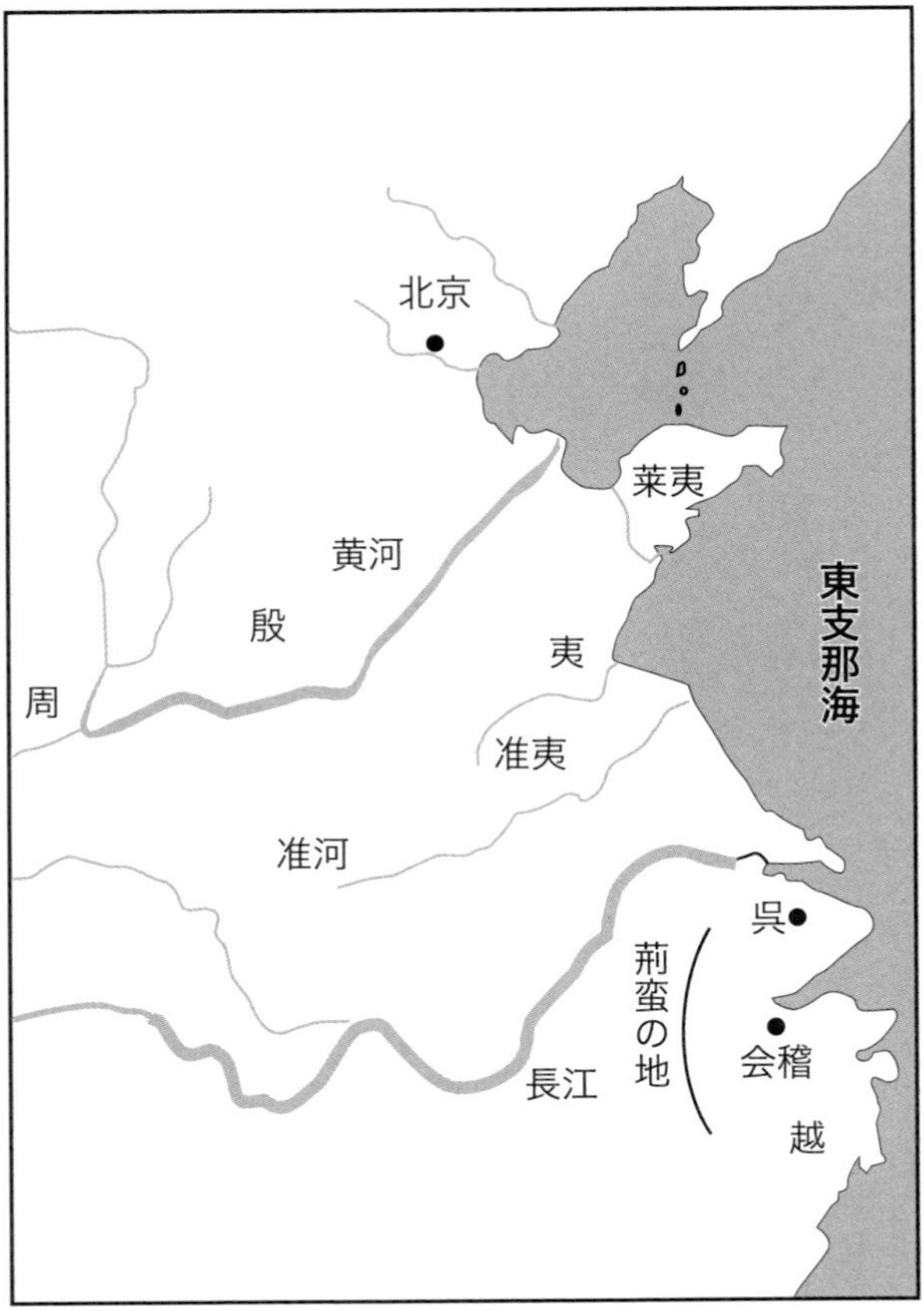

③について。呉国建国の理由は、
「周の始祖となる古公一族は、殷の後半期に大きな力をつけるようになり、殷の紂王か

ら敵視され、締めつけが厳しくなっていた。この為、古公としては、何らかの対策を打たねばならない状況にあった。古公は、三男の季歴《きれき》を跡継ぎに決め、長男と次男は偽装させて秘かに呉国の建国を命じた。二人を支える為に、以前から同盟関係にあった姜氏や伊尹の郎党に協力を求めた。その理由は、姜姓の女性たちはウコンを使って神を降ろすことができる巫女であり、その上、健康で美しかった為、諸侯が妃や嫁として欲しがり、大きな力になっていた。大陸沿岸部の東夷族と絆を深める為には彼女らの力が必要であった。また、伊尹の郎党は、殷時代の後半に至って姫氏と共にタカラ貝の流通ルートを作り上げた海神族であり、タカラ貝採集の指導者として協力を求めた。彼等郎党もまた紂王の不興を買い、身の危険を感じていた。「タカラ貝集積地へ共に移動しよう」という古公の呼びかけは、渡りに舟であった。

以上、私が50年余りにわたって求め続け、辿り着いた仮説であります。

ではここで、太伯らが南下するに当たって、周王朝の始祖一家がどのような作戦を立てたか？興味津々といったところです。連想しながら、その風景を再現してみます。

周の始祖の古公亶父《ここうたんぼ》は、白川静の『字通』を参考にして解釈しますと古公は、古《いにしえ》の公《おおやけ》＝ルールを守っている人の意でそのルールとは、海を渡るに当たっては、①喧嘩をしない、②中継の港では食料や水を分けてもらい、旅装を整える、③携帯しているタカラ貝など貴重なものを提供する。この3点が陸に定着している民と海を渡る部族との約束事であったと思われます。

また、亶父とは亶州＝台湾から屋久まで、ここで述べている琉球諸島群のことであり、その地域のルールを守る父親＝首領と解釈できるのです。ですが、彼には気がかりなことがありました。

古公　「殷の紂王の振舞いを見ていると、わが一族の先き行が案じられる」
太伯　「何かあったのですか？」

古公「三男の季歴《きれき》を人質に差し出せ！と言ってきた。我が一族の影響を恐れ、その力を削ぎ落そうとしているのではないか？討たれる前に何とかせねばならぬ。」

太伯「どうせよ！と申されるのですか？」

古公「耳を貸せ！誰にも気づかれぬようにな？お前と次男の虞中《ぐちゅう》は坊主頭にして、刺青を入れ倭人の格好をするのじゃ」

太伯「倭人の格好を？どうして…都におれぬじゃないですか？」

古公「そういうことじゃ！誰かに見つかったとしても、もう都《みやこ》には戻らぬという宣言なのじゃ、南下して国をつくるのだ」

太伯「国をつくれと！…」

古公「そっとだ！黙ってタカラ貝を独占して、力を貯えるのだ、南下に当たっては、昔なじみの姜一族にも声をかけると良い、それに伊尹《いいん》の郎党にもだ！お前も知っておろう。彼らの祖先は、西の方からやってきて、大津波や大洪水を乗り切った伝説をもっておる。海を渡る生き神様じゃ。航海術ばかりじゃないぞ！人間的にも勝れておる。彼等一族も紂王から目の仇にされ始めておる、急ぐのじゃ」

伊尹とは、方舟《はこぶね》で洪水を免れ、空桑の中から見出された聖者のこと。意味は「よる」とか「川の名」や「人の姓」のこと。尹は、神官が神杖《しんじょう》を持つ形。その神杖によって、神を呼ぶ意があり、天下を尹治《いんち》する者で伊尹の名とする。

尹治することとは、世を正しく治めることであり、伊尹がその任に当たった。

古公の知恵で偽造工作が成り、チームが結成されるのです。

南下した部族は姫氏、姜氏、伊尹氏、東夷族、百越の倭人らで彼らは力を合わせて、殷を打倒するための大陸沿岸部と島々とを結んだ環東支那海血縁共同体のようなものを築いて、すばやく呉国を建国することができたのです。この呉国の建国で、東夷と呼ばれ、タカラ貝を採集するプロであった倭人集団の動きは、伊尹族の適確な指導のもとに更に活発になっていきます。

彼等は次々と黒潮が洗うタカラ貝の宝庫、琉球諸島群を目指して移動を続けて行きました。それはあたかもゴールドを求めてアメリカ大陸を西へ西へと移動して行ったあのアングロ・サクソン人の姿を彷彿とさせるものでした。

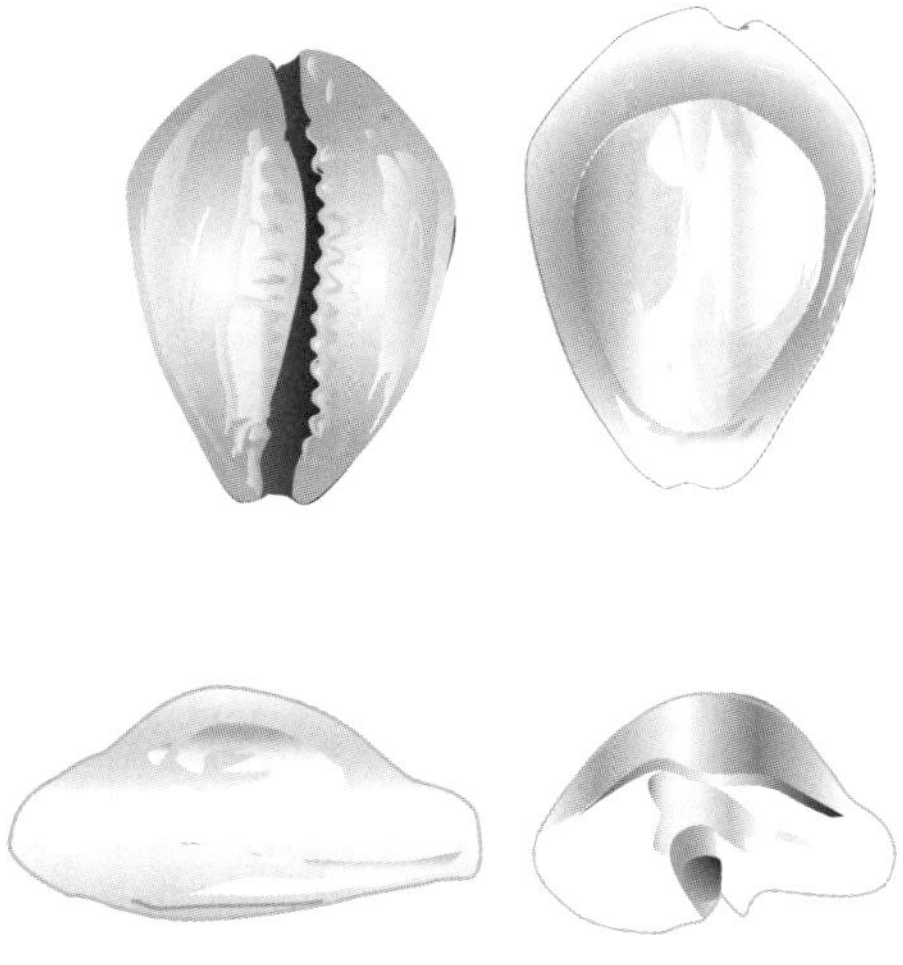

タカラ貝

百越と呼ばれ様々な部族から成る倭人集団は、順次タカラ貝採集の場所を広げ、お互いに信頼し、和を結びながら役割を分担。大陸沿岸部を経由するルートと、琉球諸島群を北へ飛び石をつたうような流通ルートとを開発して行きました。

どうして周王朝が殷を滅ぼすことができたのか？それはひとえに海を熟知していた伊尹の航海術とそれを生かした倭人集団の協力とによるものであり、彼等が採集し、周の都に運んだタカラ貝が莫大な力を与えたのは言うまでもありません。ちなみに殷の廃墟からは、彼等の先祖たちが運んだタカラ貝が大量に出土しています。

白川静は『白川静　回思90年』の中で「中国の殷王朝末期にあたる3200年前には文字と図表が一遍に出てきておりその中には貝を運ぶ人たちの図もある。きっと経済行為をやっていた民族であろう」と語っています。

このことから、貝は殷王朝において、重要な財として扱われていたことが判ります。しかも柳田國男が『海上の道』でいう「琉球諸島群がその最大の供給地であっただろう」と。琉球諸島群のタカラ貝の力が発揮され殷を滅ぼすことができたのです。

タカラ貝を採集しながら島々を移動する第一陣の倭人の活動は、貝貨が使われなくなる紀元前5世紀頃まで続いて、その後は別の貝の採集に入り、日本列島に地歩を築いていきました。

では、第二の移動の波はいつ頃なのでしょうか？

もうお分かりでしょう、呉王夫差が滅んだ紀元前472年以降であります。越王に追い落とされた彼等一族郎党は、海に出ます。タカラ貝を運んだ仲間の倭人を道案内にして。敵のいない新天地を求めて船出したのです。波状的に、何度も何度も海に出て移動を続け日本列島に新たな文化を根付かせるのです。

彼等が渡って行ったルートはどこなのか？中国の史書がそれを見事に表現しています。

タカラ貝を運ぶ人の絵
3,500 年前の殷の時代に『白川静回思90年』より

第4章　注目すべきアジアの倭人の記述

〈中国の歴史書が語る倭人〉

百越と称される倭人たちは、どのルートで移動し移り住んだのか?とても興味のあるテーマですが、なかなかその答えをみつけることができませんでした。ところがです。ある日突然、芋づる式にその答えがみつかったのです。きっかけは中国の歴史書でした。次のようなものです。

①論衡《ろんこう》（王充《おうじゅう》ＡＤ27年～?著）
②漢書《かんじょ》地理志(班固《はんこ》ＡＤ32年～92年著)
③魏志倭人伝(陳寿《ちんじゅ》ＡＤ２３３年～２９７年著)

の3歴史書です。まず①から始めましょう。著者の王充は、今から約２０００年前の人で、彼が生きていた時代から1000年前、今からですと3000年前の倭人について記述しています。「倭人は、太伯らが3100年前に建国した呉の国と関係がある地域に住んでいる、そこは、荊蛮の地(野蛮な地)で長江の南から今の福建省にあたる地域」としています。また周の2代目の成王の時(今から約3040年前)アジアの地域が平和になったので「倭人貢鬯」と注目すべき記述をしています。この意味は「倭人はウコンを貢納した」ということであります。

〈王充が記述した鬯《ちょう》は春ウコン〉

王充が3000年前に書いた「倭人貢鬯《わじんこうすちょう》」の4文字に出合った時の私は、雷に打たれたようなショックとまたそれとは全く別に、心に広がるワクワク感を抑えることができなかったのです。どうしてか?ですって?「この記述は、きっと琉球諸島群に関係しているに違いない！」とこんな直感が全身を貫いたのです。「倭人が貢納したというウコンは、中国大陸にはなかったのではないか？とか、近くにあるならわざわざ貢納させる必要もない。きっと手に入れるのが困難で希少価値のあるウコンではないか？それはきっと琉球諸島群から採集されたものに違いない！」などと次から次へと様々なことが閃いてきて、とうとう「倭人貢鬯《わじんこうすちょう》」の4文字物語を構想するまでになりました。この舞台をハビルとタオに演じてもらいましょう。

ハビル「周の王様に貢納されたというウコン！それの品種は判っているの？」

タオ「いや、判っていないんだ。ただウコンとだけで…」

ハビル「ウコンってさあ、種類がいろいろあるんでしょう？春とか秋とか…違いがよくわからないのよねえー」

タオ「代表的なものは3つ。秋ウコンと紫ウコン、それに春ウコン。秋ウコンと紫ウコンの原産地はインドなどの熱帯地帯となっているんだけれども、春ウコンの原産地はハッキリしていないんだよね。」

ハビル「へえ〜、春ウコンの原産地はわからない？どうしてなの？」

タオ「それが判れば、ノーベル賞もんだろうよ。ハッキリしていない。それぞれの特徴は秋と紫は漢方薬になっていて、葉のウラ側はツルツルしていて毛がない。」

ハビル「春ウコンはどうなの？」

タオ「春ウコンは食べ物の部類になっているんだよね。葉っぱのウラ側にはビロードのようなウブ毛が生えている。」

ハビル「ビロードのようなウブ毛がある？それって何か意味があるの？」

タオ「大ありなんだよ。ウコンは熱帯性の植物でしょう？葉のウラ側に毛があると大変だと思うんだよね。」

ハビル「暑くてたまらない！って訳？」

タオ「そうでしょう？熱帯に毛皮はいらないでしょう？だから春ウコンに毛があるのは、熱帯よりは北の亜熱帯だろうと思うんだよね。」

ハビル「どうしてそう考えるの？まさかウブ毛は寒さしのぎとでも言うの？」

タオ「いい勘してるじゃない！正にそう！寒さから身を守る為に遺伝子が変わった、個体が変化したと思うんだよね〜」

ハビル「確かに植物の中には、一世代でも環境の変化に順応して進化するものがあるというしね。それで春ウコンの原産地については…その顔は、おおよそ見当がついてるって感じよねえー」

タオ「よく考えてよ！原産地が不明ってことは、人がよく通る陸続きの場所ではない、ってことでしょう？だから発見することが難しい島々だろうってね！」

ここで原産地を決めるのに参考になる本があります。まず、木村政昭編著の『琉球弧の成立と生物の移動』から引用したのが、以下の文章です。「台湾からトカラ海峡までの島々は、700万年前から大陸と陸続きであったり、あるいは大陸から離れて、半島状になったり、また沈んで浮き上がって島になったりしている。この地域は、何回も激しい地殻変動を繰り返しながら、やっと一万年前に今の姿になった。」と。氏のこのような指摘を参考にしながら、この島々の地理的な変化を見てみると、過去に一度も沈まなかった島（ハブがいる島など）がある。それでこれらの島々に残ったウコンは、長い年月の間に、環境に適するように個体変化を遂げたと考えられるのです。更に、一度も沈まなかったこの島々について多和田真淳は『鬱金考《うこんこう》』の中で以下のように記述しています。

1) 中新世後期（700 万年前）

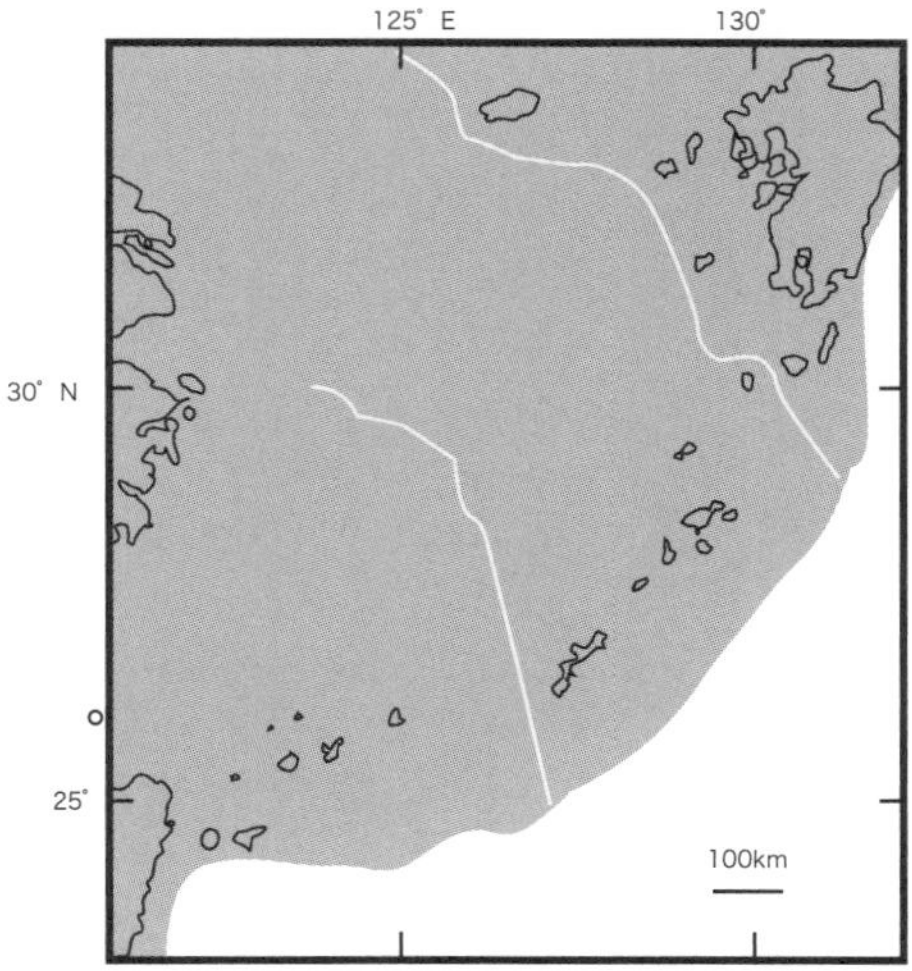

更新世後期（2.5 万～1.5 万年前：ウイルム氷期最盛期）

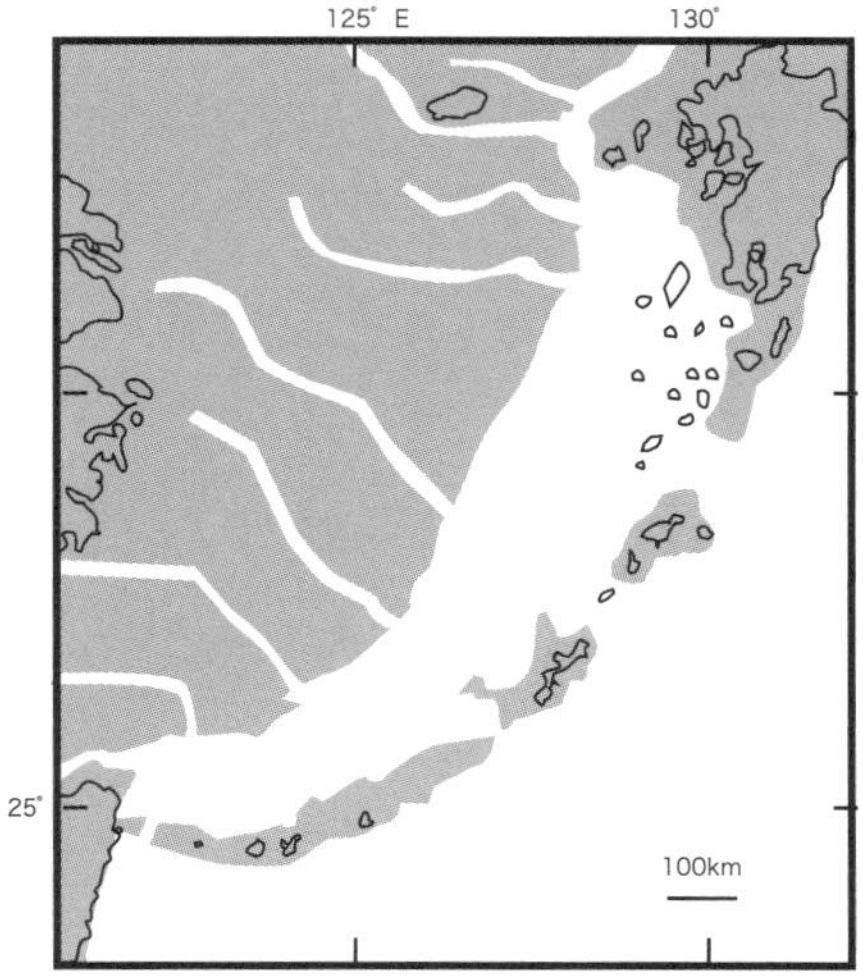

「琉球弧の成立と生物の移動』
木村政昭編著より

「…私が（1950年代に）調査した結果、野生化したキョウオウは国頭郡に数カ所、石垣島・西表島に数カ所あって、秋ウコンの生育は（山中では）貧弱であるが、キョウオウは、旺盛な発育を遂げている。…国頭ではヤマウキン（山ウコン）と言い、石垣島では、ウムザ（イノシシ）のウキン（ウコン）と呼んでいる。…このウコンは、山にあってイノシシの食うウコンかウコンに似て非なるものかのどちらかであろう。」としてキョウオウは島々の山に自生していたのではないか？と述べているのです。ところで、この島々にはイリオモテヤマネコやノグチゲラなど、様々な動植物の固有種が生育・棲息していて「東洋のガラパゴス」と呼ばれる遺伝子の宝庫なのです。ですから春ウコンらしきものがあったとしても、あながち違和感はないのであります。

ここで春ウコンの原産地は琉球諸島群である！とする説を更に確かなものにする為に、第二、第三の矢を放ってみましょう。

ハビル「倭人貢鬯《わじんこうすちょう》の文字から他にどんな視点があるというの？どうも私にはピンとこない…」

タオ「僕が注目することができたのは、白川静の『字通』があったからなんだよ。漢字には様々な意味が含まれているって…。だからこの〝貢す〟みつぐから

春ウコン

想像したんだよねえー」

ハビル「ふーん、突飛な着想よね。この貢ぐに何か深い意味でもあるって訳？」

タオ「貢ぐというのを調べているとさー、王様に貢ぐとか、農産物を貢納するという意味がある。だからここに記述されている倭人は、周の王様の臣下、仲間であろう…と。」

ハビル「なるほどねえ〜。よくもまあ、またこんな細かいところにまで気が回るものよねえ。あの時代にさ、ウコンに詳しい人たちもいたってこと？」

タオ「そう！いたんだよね、３５００年前のあの頃にはね。神様を降ろす力のある巫女たちが…。姜《きょう》という姓をもつ女性たちで、美しくもあり、世のリーダーたちが嫁に欲しがった…。」

ハビル「フジョ？ミコ？神様を降ろすですって〜？こんなことができる人ってどんな人たちだったの？しかも美人で…」

タオ「周の時代に太公望と呼ばれた人がいたのは知ってるよね？釣りをしている時に周の王様が出会ったという人。この太公望の一族が姜姓なんだよね。また、その女性たちは古い時代からウコンを扱う、いわばプロの集団だったんだ」

ハビル「それがどうして、あんたが言う春ウコンの原産地の補強になるってわけ？」

タオ「なるんだよ、それが。実は、呉太伯の姓は姫で、昔から姜姓の一族と嫁をとったり、婿をとったりとさ、お互いに結婚し合っていたんだ。だから太伯らが、長江の南に行って呉の国をつくった時にも、姜姓の一族も同行していたってこと！」

ハビル「それがどうして琉球諸島群と関係があるのさあ？」

タオ「彼等の移動の目的はタカラ貝を独占することだった。しかしタカラ貝は黒潮が流れていて、サンゴ礁が発達した島々にしかいないんだよね？だから彼女たちも呉太伯の仲間の倭人らと一緒に島々に移住していたってこと。」

ハビル「それでこの島々の山中にあった、葉のウラ側にウブ毛があるというあの珍しいウコンを見つけたってこと？彼女たちがそれを貢納したの？」

タオ「そうじゃなくて…タカラ貝の収集は、倭人の役割でしょう？彼等が周の王様にタカラ貝を運ぶ時に、一緒に珍しいウコンを貢納してくれるようにお願いしたってこと」

ハビル「それで〝倭人貢鬯〟ワジン・コウス・チョウというの？ふーん、よくもまあ、ここまで考えられたこと…。頭が下がるわ。」

珍しくもあり、手に入れるのが難しい貴重な春ウコンと黄金のタカラ貝は、琉球諸島群から呉太伯らの呉国に集められ、ここを起点にして大陸の沿岸部づたいに北上。山東半島をまわって、黄河に入り周の都へ。つまり太伯らが南下したルートを北上する形で流通ルートが整備され周の王様に届けられたのです。春ウコンの原産地のイメージがますます現実味を帯びてきました。そして第三の視点へ。

〈春ウコンの原産地は琉球諸島群〉

ハビル「春ウコンの原産地証明をするもっと強力なものがあるって本当にあるの？」

タオ「うん！春ウコンの名前が教えてくれたよ」

ハビル「さっきあなたが言っていた多和田先生の調査。あの山ウキン、気になっていたのよね。それと関係があるんじゃない？」

タオ「姜姓の女たちが神様を降ろす秘儀。その時に使われる重要なものがウコン。それが絶対不可欠なものなんだって！これについて白川静は『中国古代の民俗』でこう言っているんだよ！」

『中国古代の民俗』白川静著67ページより引用。

《…祭儀の場を鬱鬯《うっちょう》（香草にひたした酒）で清める時…すなわち祼鬯《かんちょう》の礼を行って…そこに神霊を招くのである。…天神を降ろし、地霊を招く。地霊を興《おこ》すのは、鬯酒を聖所に注ぐことであり、それを興《きょう》と言った。》と。

タオ　「ウッチョウというのは、春ウコンの葉を10枚一束にして、それを120束つくり、器に入れて煮る。そこに酒を入れてつくった聖なるもののことをいう。カンチョウの礼とは、この酒を器に移し、左手に抱いて、ほら！このように抱いて、右手でその酒をすくって聖なるところにまいて清めることを言うんだって！」

ハビル「それって3000年前のことでしょう?不思議よねー。それと似たようなことが、ほら!この島々にあるじゃない!オバーたちが、その場を清める為に茶碗に入れた泡盛を手に汲んでまく!あの仕草によく似ている…」

タオ「多分、そのような風習をこの島々を経由して行った姜族の女たちが残して

行ったんだと思うよ。彼女たちが神を降ろす儀式に使うウコン。その名前は姜女が使う黄色いものにちなんで、姜黄と言われるようになった。それが春ウコンの名称となったんです。」

ハビル「ちょ、ちょっとー！それって凄すぎるじゃないのよ〜。多和田先生が示唆していた山ウキンもキョウオウでしょう？それが春ウコンの名前だったなんて！春ウコンの原産地はこれで決まりじゃない？多和田先生に乾杯！祝杯を挙げなくっちゃねえー！」

タオ「そう、今は二人だけでいい。大々的にやるのは少し待ちましょう。それともうひとつ。春ウコンの学名は、クルクマ・アロマティカなんだよね。体にいい精油成分をたくさん含んでいるのでそう名付けられた…

ハビル「アロマティカ！アロマ、なんて素敵な響きなんでしょう。王様たちが姜女をお妃に欲しがったというのは、彼女たちが春ウコンを秘かに食し、健康で美しかったからじやないかしらねえ」

タオ「神を降ろし、そのメッセージを聞いてさあー。王侯たちに伝えることができたという姜女たちの伝統的な秘儀は、多分に我々の島々にその後も残ったんじゃないかなあ〜」

ハビル「多分じゃなくて、確実に伝え、残していったと私は思うわ。だってこの島々にはあのカンチョウの儀式のような習わしがまだ残っているんですものね！」

タオ「彼女たちの秘儀はまた、後の時代に巫術を使ったとされている、あの卑弥呼にも通じるものではないかなあ？とね。この流れを確実に汲んでいると僕は思っている」

ハビル「卑弥呼にもつながる？こんなことも本当にあるかもねってさあー、あなたの話を聞いているとそんな気になってくるから不思議よね」

〈春ウコンとタカラ貝と天孫氏〉

王充《おうじゅう》が『論衡《ろんこう》』の中で、3000年前のことを記した「倭人貢鬯《わじんこうすちょう》」。この4文字の物語をこの辺でまとめます。

「周の成王に貢納されたウコンは、春ウコンであり、その原産地は琉球諸島群である。

この地域は700万年余りにわたって地殻変動を繰り返し、浮き沈みが激しかった為、しばらくは原産地が不明であった。がしかし、3000年前にこの島々に移住し、ウコンを熟知していた姜姓の女性たちによって発見された。春ウコンは〝姜女たちが使う黄色いもの〟にちなんで姜黄と名付けられた。

彼女たち一族は、タカラ貝を採集する呉太伯の仲間や倭人集団と一緒に琉球諸島群に移住。貴重で珍しい春ウコンをタカラ貝を運ぶ倭人らに託し、周の成王に貢納したのである。呉太白らと共に島々に移り住んだ姜氏や倭人集団は、第一波の大きな移動の波となり、その後は天孫氏として島々に定着し、様々な足あとを残していくのです。」

この物語はいずれ、本当の姿を現し、誰かが証明する時代がきっとくるに違いありません。更にまた、このような物語をつくるヒントをくれたのが②の『漢書地理志』です。著者の班固は、前述の王充とほぼ同時代を生きた人です。彼はこの著書で「楽浪海中有倭人《らくろうかいちゅうありわじん》」と表現していて、その意味は「倭人は楽浪郡の海中に住んでいる」ということです。楽浪郡とは、ＢＣ１０８年に中国の漢王朝が設置した行政区で、今の北朝鮮の首都平壌付近のことです。また海中とは、海の中ということではなく、海のはるか彼方、ということなんです。それはどこにあるのでしょうか？地図を開いてみました。楽浪郡の北と東は陸地ですから、はずれです。また西は渤海《ぼっかい》湾で海の彼方というにはあまりにも近すぎます。なので、正解は南しかありません。では、

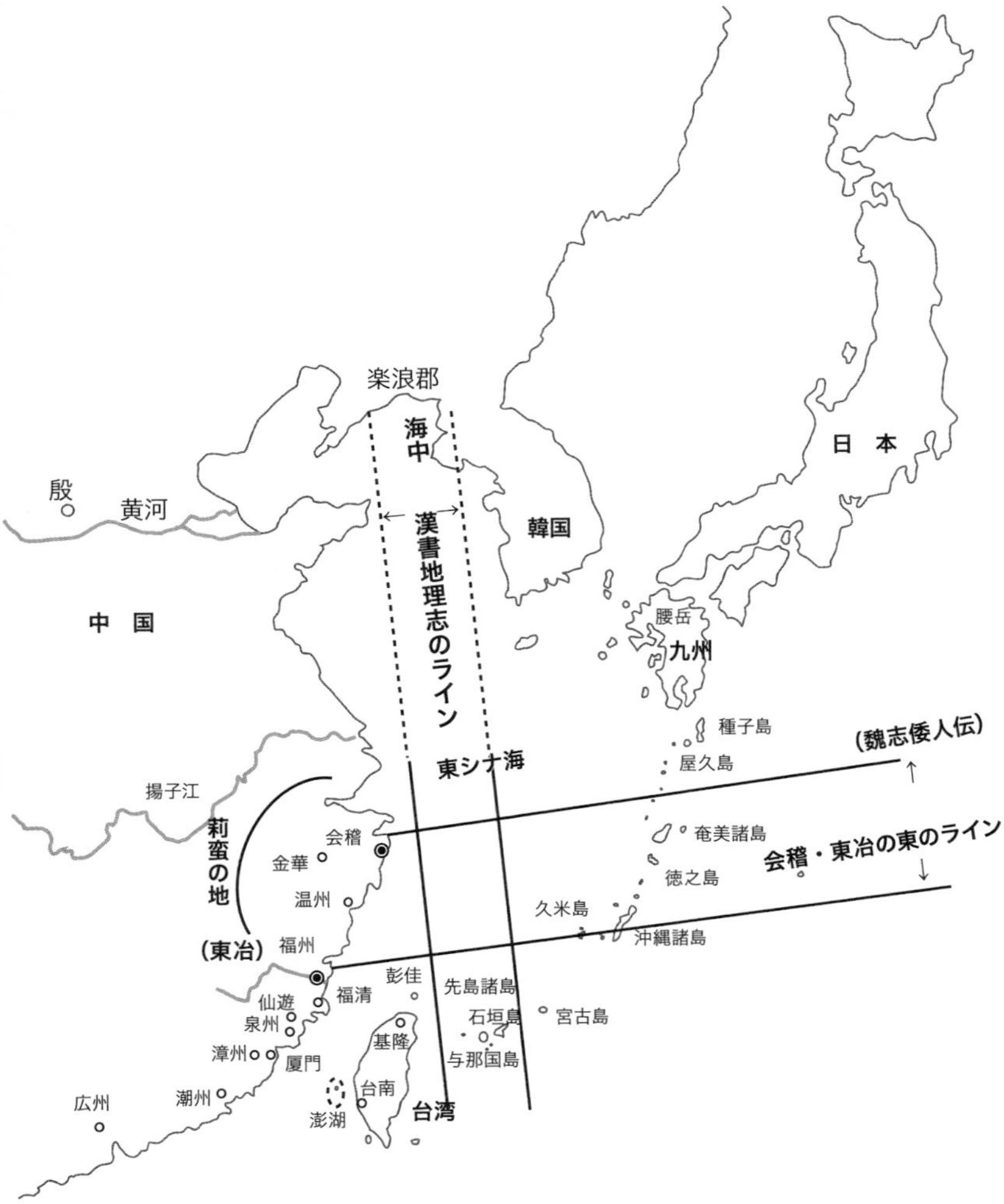
楽浪郡
海中
殷
黄河
漢書地理志のライン
韓国
日　本
中　国
腰岳
九州
種子島
(魏志倭人伝)
屋久島
東シナ海
揚子江
莉蛮の地
会稽
奄美諸島
会稽・東冶の東のライン
金華
徳之島
温州
久米島
(東冶)
福州
沖縄諸島
彭佳
福清
先島諸島
仙遊
泉州
石垣島
宮古島
基隆
漳州
厦門
与那国島
台南
広州
潮州
澎湖
台湾

楽浪郡の陸地の幅で、そのまま南の方に降りていくとどこに着くのか？視線をおろしていくと…どうでしょう、ビックリです！なんとそこは台湾や与那国、西表、石垣、多良間、そして宮古島になるんです！この地域は、王充が指摘している「倭人は、呉国と関係のある地域にいる」の近所でもあるのです。３１００年前に呉太伯の近くにいた倭人たちは、楽浪郡ができた頃には台湾から宮古島までの島々に移り住んでいる！という具体的な表現をしています。

タカラ貝と春ウコンとを求めて倭人集団が次から次へと移動している姿が①と②の歴史書からイメージすることができます。この集団は、私たち琉球諸島群のご先祖にあたり、その名を天孫氏として琉球の歴史書に記録されるようになるのです。

更に③の歴史書では、倭人の移動について確信に満ちた表現をしています。著者は陳寿《ちんじゅ》で、ＡＤ２８０年からＡＤ２９７年の間にこの本を書いたと言われています。

この中で注目すべき記述は、倭国の位置です。彼は「計其道理、當在会稽東冶之東」と表現しています。この意味は、「倭国の位置を計《はか》ると、ちょうど会稽《かいけい》と東冶《とうや》の東にあたる」ということです。中国の会稽とは、北緯30度にある現在の紹興市であり、東冶とは北緯26度にある今の福州市のことであります。現在の両市の間にある緯度4度の幅で東へ進むとはたして何処に突き当たるのか?北緯26度の線をまっすぐ東へ進むと、それがこともあろうになんと那覇市なんです。また北緯30度の線は、屋久島にあたります。倭人の集団は、班固の記述からわずか400年余りで「台湾・宮古を経て、沖縄本島の北の島々をつたいながら屋久島まで住む地域を広げている!」ということであります。前ページの地図を参照

この中国の記録を素直に読み進めると、「呉太伯の子孫や彼の仲間たちは3100年前から、台湾そして九州南部の島々まで、琉球諸島群を足がかりにして移動し続け、卑弥呼の時代にはすでに九州南部まで進出していた」ということが明らかにな

るのであります。このように言うと「あるはずがない！何を世迷い事を！たわけたことを言うものではない！当時の南の島々は原始時代ではないか！」と考えるのでしょうか？日本列島の知性のほとんどは、黒潮の洗う南の島々には触れたがりません。はじめから色メガネで中国の史書を読んでいるからなのでしょうか？本当の姿が見えなくなっているとしか思えないのです。

第5章　南島に埋まる一万年の記憶

〈伊を旅すると何かが見える〉

それでは、彼らの移動の様子をもっと具体的に追ってみます。その姿が最も判り易いのが地名と島々に残る言葉です。また、かの二人に話し合ってもらいます。

ハビル「地名から倭人の移動が判るってほんと？」
タオ「消そうと思っても絶対に消すことができないもの、それが地名なんだよね」
ハビル「確かに人がいる限り、地名は残っているよね」
タオ「そしてだ、燃やそうと思っても燃やすことができないもの！それが言葉や人の名前なんだ！」
ハビル「本を焼いた秦の始皇帝でもできないと…。だからそれで何が判るの？」
タオ「地名や言葉をたどると、彼らが残していったメッセージを甦らせることができるんだよね！」
ハビル「バカじゃない！そんなことできる訳がないでしょう」
タオ「いや、僕はホントにそう思っている！」
ハビル「歴史家からは、ハナから無視されるでしょうねえ。文献がなければ事実ではないってさー」

タオ「だからこそなんだ！専門家が捨てたものを、在野の門外漢の僕らがアプローチできる。たまらないんだよね、嬉しくて…。突拍子もない発想が生まれるってもんでしょう！」

ハビル「相当な自信よね。地名で海の民の移動が判るなんてさ。その代表的なものでもあるの？」

タオ「あるんだなあ…それが。」

ハビル「もったいぶらずに教えて！」

タオ「地名の頭にイタリアの伊がついているところ」

ハビル「伊？」

タオ「そう！3100年前に呉国をつくった太伯らの仲間で海のリーダー。水先案内人でもある伊尹《いいん》の一族の名前がついているんだ」

ハビル「伊尹《いいん》？病院のイイン？」

タオ「そうじゃなくて、洪水伝説で生き残った伊尹の一族。彼らは、タカラ貝や春ウコンを求めて船出した人たちのナビゲーターなんだ」

ハビル「へえ～、それで…彼らは呉国からどこへ行ったの?最初に上陸したところも判るの?」

タオ「判るさあ～、呉国から近くて、伊の字のついた地で伝説が残っているところを探すんだよ!さすが伊尹の一族ってところだよね。ちゃんと道標を残しているんだから…」

ハビル「それが判ったのね?どこなの?」

タオ「西表島の船浮湾、そこにはミロクが上陸したという言い伝えがあり、伊の字のついた伊田の浜がある。そこが最初の上陸地点!」

ハビル「どうしてそこが最初の上陸地点って断言できるのよ～」

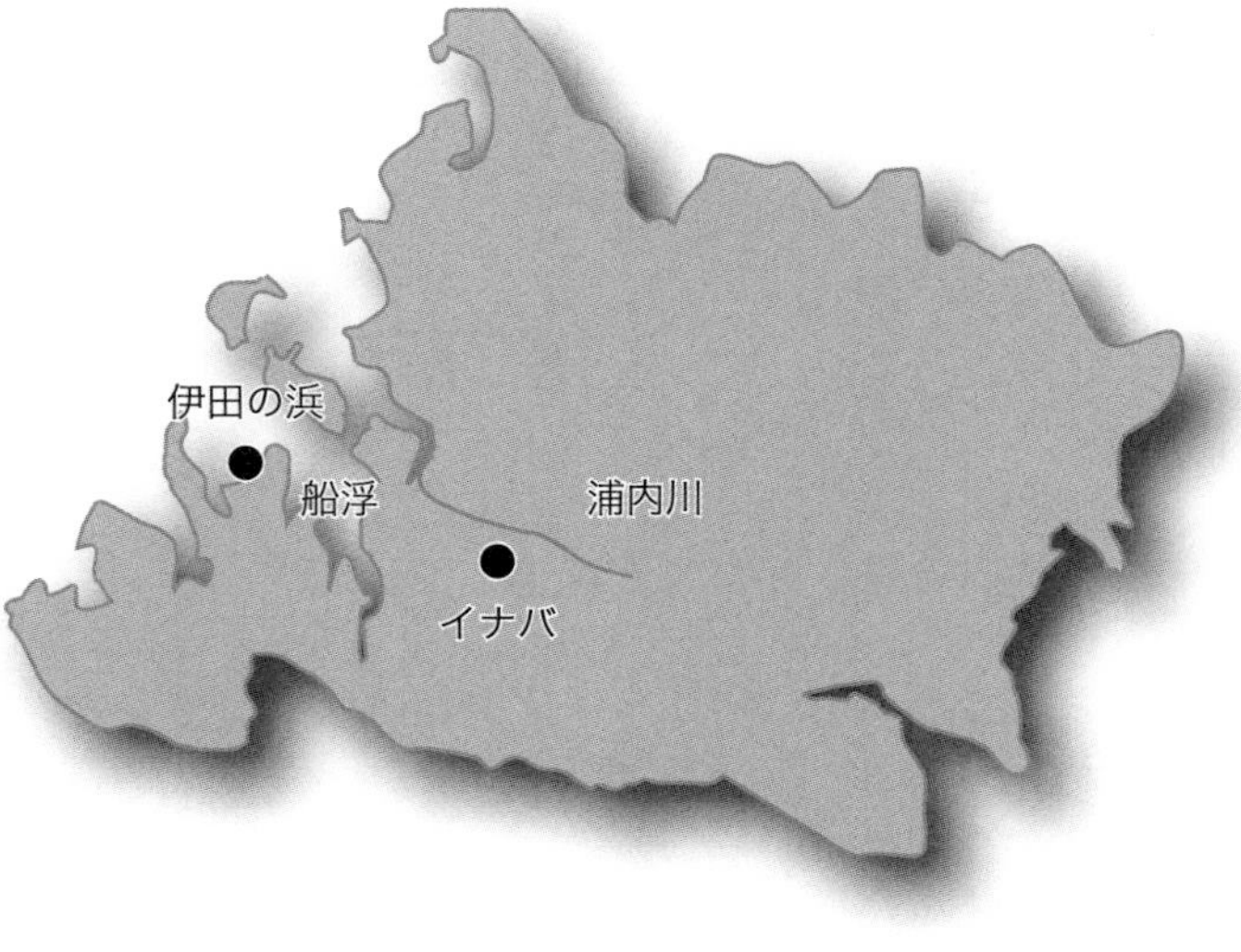
伊田の浜
船浮
浦内川
イナバ

タオ「ミロクというのがヒント。海から豊かさをもたらす神様のような人たちの代表ってわけ。そんな伝説が残っている所は、伊田の浜以外にはない！そこをスタート地点にしてさ、伊の字のついた地名を辿って行くと、３０００年前の移動のすべてが判る！と言っても良いんだよな〜」

ハビル「また！大げさよね？すべてのことが判るなんてさ。どうしてそう言えるのよ」

タオ「彼らは、伊田の浜に上陸したあとにもっと生活がしやすい浦内川の中流域に移動したんだ。そこでまた伊の字のついた集落をつくった。名を伊奈葉《いなば》というんだ。」

ハビル「イナバ？あのイナバの白ウサギと縁があるの？」

タオ「あると言えばあるし、ないと言えばない！しかし、何らかの関係はありそうだよね。伊奈葉《いなば》は１９７０年まではあったが、今は人がいない。昔むかし、大昔、伊一族がナ（貝）をとるバ（場）とも解釈できるのだが…」

ハビル「へえー、おもしろーい！イナバかあ〜。イナバの白ウサギ！その後、伊一族は皆をどの地域に案内するの？移動するんでしょう？」

タオ「そう！西表周辺には黒潮が流れている。この黒潮に乗ってもっと良いナ（目）のいるバ（場）へとさ。石垣島の伊原間《いばるま》を経て、次に拠点にしたのが伊支馬《いきま》や伊良部《いらぶ》」

ハビル「伊良部は、宮古のイラブでしょう？イキマというのはどこのこと？」

タオ「今の池間島のこと。島の人はイキマと言っている。この名前ってさ、とっても大切なんだよなあ〜」

ハビル「どうして？伊支馬が重要な地名なの？」

タオ「魏志倭人伝に出てくるんだ。伊支馬は指導者がいる場所とか中心という意味らしいんだよね。またあの徐葆光《じょほこう》が書いた『中山伝信録』には、伊奇麻《いきま》の字をあてている。」

ハビル「よくもまあ、また、伊の字を追っているること！執念深いっていうか…。この後も伊の字のつく地名はあるの？」

タオ「それがいっぱいあるから驚きだよねー！宮古島周辺から今度は沖縄本島へとさ〜。

そのとっかかりは、あの伊支馬。糸満なんだよ！イチマと言うでしょう？池間島にあった指導部が移動したんだよなあ。糸満にね。」

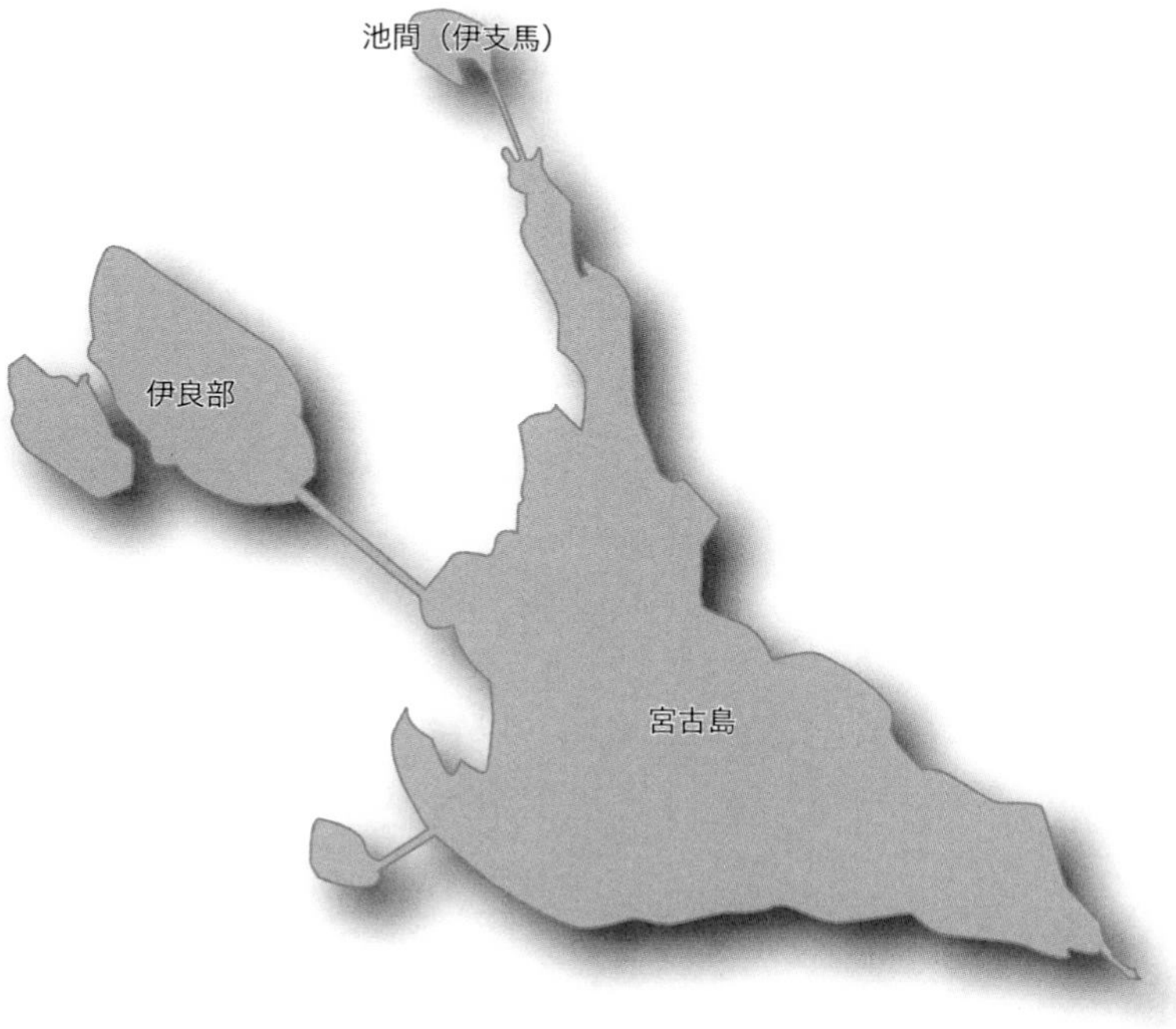
池間（伊支馬）
伊良部
宮古島

ここでひと息入れましょう。

どうして彼等は、宮古の池間から糸満に移動したのでしょうか？気になりますよねー。

原因を探してみますと中国大陸にありました。

中国大陸の南部沿岸に勢力を競っていた呉と越は沿岸部の支配権をめぐって長い間争っていましたがＢＣ４７２年に決着がつき呉国が滅ぼされるのです。しかし幸いなことに、中国沿岸部と琉球諸島群には呉太伯の頃から、様々な部族集団から成る強固な還東支那海血縁共同体ができておりましたので、敗れた呉の各部族たちは、次から次へと島づたいに宮古島周辺に逃れることができたのですね。

親戚筋にあたる様々な部族の子孫を頼ることができたということなんです。それで島は手狭になり、移動せざるを得なくなったのです。移動に当っては、航海術に長《た》けた伊一族の子孫たちが先導し、沖縄本島の南部を目指したんですね。先ず糸満市の名城ビーチの近くにあるイエージナ島に上陸した後、伊敷にある轟の洞窟に落ち着いたとこう類推できるのです。

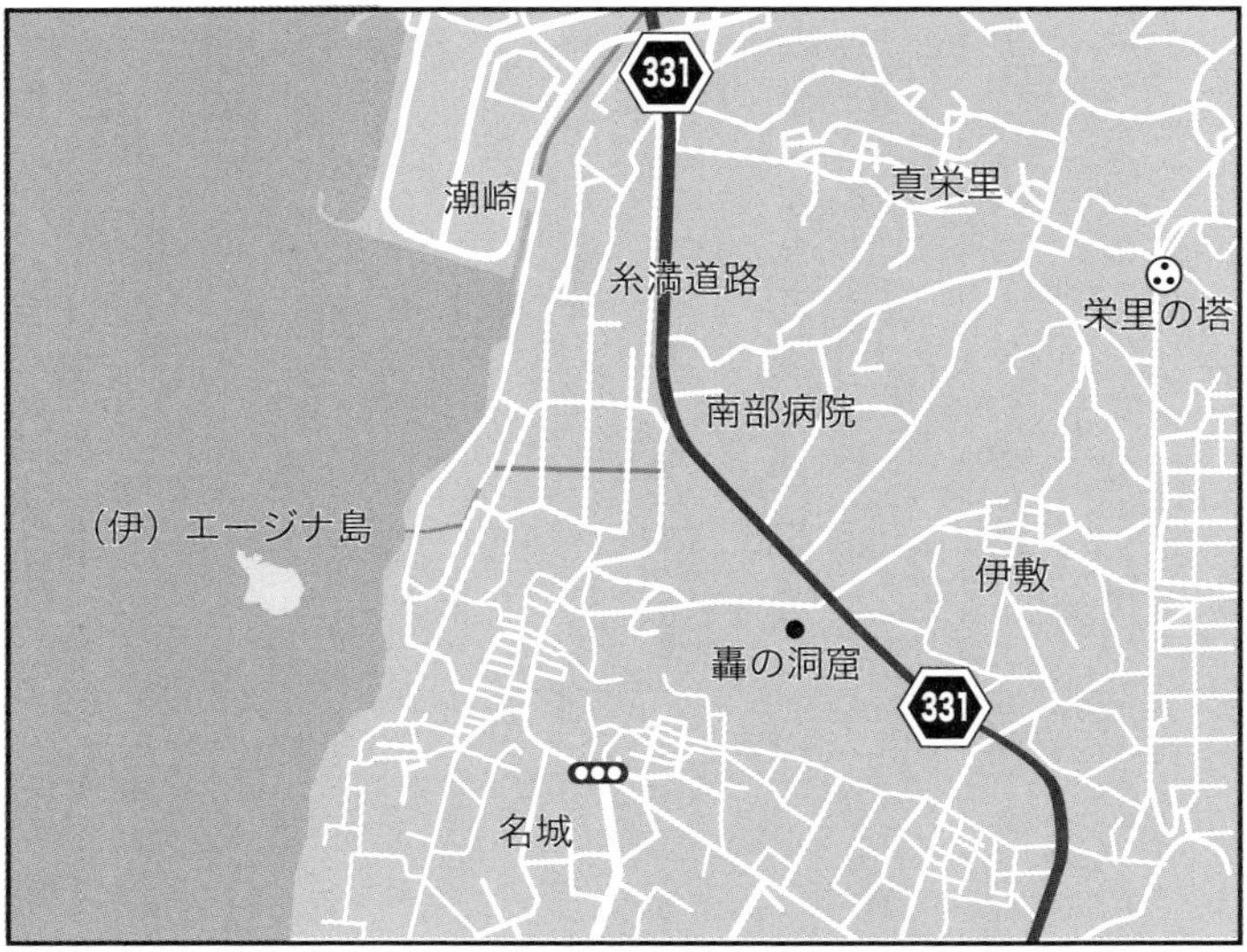

この地域を支配していたのは、春ウコンを使って自在に神々を降ろし、その託宣《たくせん》を聞くことができる姜一族の巫女たちで、幸いなことに一緒に渡ってきた中に姜姓の人たちもいたんです。彼等に老熟した巫女の長《おさ》からお呼びがかかったのです。

「支配地の中心にある玉《タマ》グスクに来るように！」と。皆々の今後の扱いをどうするか？神々に聞くというのです。

玉グスクは、小高い丘の上にあり、そこには天を仰ぐ聖なる石壇《せきだん》があるだけの透明なる神殿なのです。この石壇には、夏至の太陽の光が入り口の穴を通って差し込むばかりでなく冬至の日には、逆に西日が降り注ぐように設計されているのです。誰がいつ頃造ったのか謎のままですが、造った者は「太陽の道を知る者たち」であることだけは確かです。ここは支配する者が重要な決めごとをする時に、神の声を聞く聖なる場であり、またここには神々が授けた春ウコンにちなんだ名称であるクルクバルが広がっています。

儀式に当たって、巫女たちは春ウコンで造った聖酒でその場を清めた後、おもむろに老巫女の長が石壇に上がります。そして座って天に向かって神を招き、神を降ろし、神の声を聞く聖なる儀式を執り行ったのです。長い祈りのあと声はいうのです。「島々の東は、太陽が上がる聖なる地。決して立ち入ってはならぬ。西側の海岸沿いには、遠い昔に島々に辿り着いた者たちの形見がある。伊一族に案内してもらうがよかろう」と。

ところで、琉球の正史といわれている『中山世鑑』では、天孫氏についてこのように記述しています。「25代続いた天孫氏の名前は、現在（1650年のこと）知ることができないので省略する。天孫氏はおよそ17802年続いた」と。

『岩屋天狗と千年王国』は「中山世鑑では、天孫は25代続いたとしているが、本当は（中国の）南朝呉国時代の末期（AD280年）に呉国を逃れて琉球にやってきた呉太伯の子孫、玉王なる人物を始祖として幸・忍・珠・誉・真・讃・珍・済・興

・武・広・兆・太を称した王たち…（中略）35代が天孫氏王統である」と記しているのです。
中山世鑑の「天孫氏は17802年続いた」という記述は、この琉球諸島群には32000年前の人骨が出土している上に、様々な旧石器時代の人たちの足跡があることから、突拍子もない表現ではないのです。がしかし、著者の羽地朝秀＝向象賢は何をヒントにしてこのようなイメージを描くことができたのか？については一考するに値すると思います。

また前述の天孫氏王統の名前については、薩摩半島の伊集院（現在の日置市）に資料が残っていたとするもので注目すべきは、その存在がよく知られていない讃から武までの 倭の五王の名前が記されていることです。

天孫氏については、もっと深く物語にする必要がありますが、どうも琉球諸島群を通り過ぎて定着した地の伊集院が重要な「カギ」を握っていそうな気配です。

いずれにしましても倭人たちは、様々なルートや時間を経ながら後世に移動のヒントを残しており、その代表がイチマ＝イキマなのです。

伊支馬の名称は、後になって天孫氏をシンボライズする「伊」の地名の冠を抱いて、島々の西側を拠点として移動を続け、アマミキヨらの神人は、島の東側というように仲良く振り分けられたのです。ですから伊支馬のとっかかりの地である糸満市の伊エージナ島と伊敷にかすかにその名を残しているのです。

ハビル「イチマ、糸満に移動した？　伊エージナ島や伊敷が近くにあって、東には少ない…。」

タオ「そう、本島の東側には伊の地名は少ないんだが、西海岸は伊だらけと言っても良いぐらい」

ハビル「待って！私！地図を持ってくる！えーっと、まず伊祖でしょう？北へ行くと伊佐《いさ》・伊佐浜《いさはま》・伊武部《いんぶ》・伊差川《いさがわ》ってきて本部半島には、伊豆味《いずみ》・伊野波《いのは》と…。何とまあ、伊がつながって行くじゃない、不思議！」

タオ「そこから海に出るとどうなる？」

ハビル「海に出ると…あっ！伊江島に伊是名に伊平屋…。もう絶句！びっくり仰天だわ」

タオ「それだけじゃないぞ。島々すべてに伊の字の地名が…」

ハビル「ちょっと、ほんとなの？」

タオ「徳之島から次々と目を移してごらん！」

ハビル「徳之島？あっ、伊仙町《いせんちょう》がある。奄美大島に伊須湾《いすわん》、喜界島には伊砂《いさご》、種子島には伊関《いせき》…凄い！すごーい！なんてことでしょう！」

タオ「そうだろう？ほんと、驚きなんだ。ところが、屋久島にはどうしても伊の字のついた地名を探せない…」

ハビル「どうしてかしら？この島を避けたのかしら？」

タオ「屋久島には伊がない！って民俗学を教えている先生にどうしてでしょう？

ってぶやいたら！そうでもないかも…ってしか言わないんだよね」

ハビル「どういうことだったの？その先生の意図は？」

タオ「それで気になっていろいろ書物をあさっていたら、出てきたんだよ！何だと思う？『隋書流求伝《ずいしょりゅうきゅうでん》』だったんだ」

ハビル「ズイショリュウキュウデン？どういう本なの？聞いたことないわ、そんな本。なんてあったの？」

タオ「屋久島の前に夷《えみし》のイがついていて夷邪久《いやく》とあるんだよね。沖縄語であなたはイヤーというでしょう？イヤーをヤーとしか言えない人も多いけど。昔はイヤックだったと思うんだよねえ」

ハビル「イヤックねー。それはそれでいいんじゃない？イはイなんだから。」

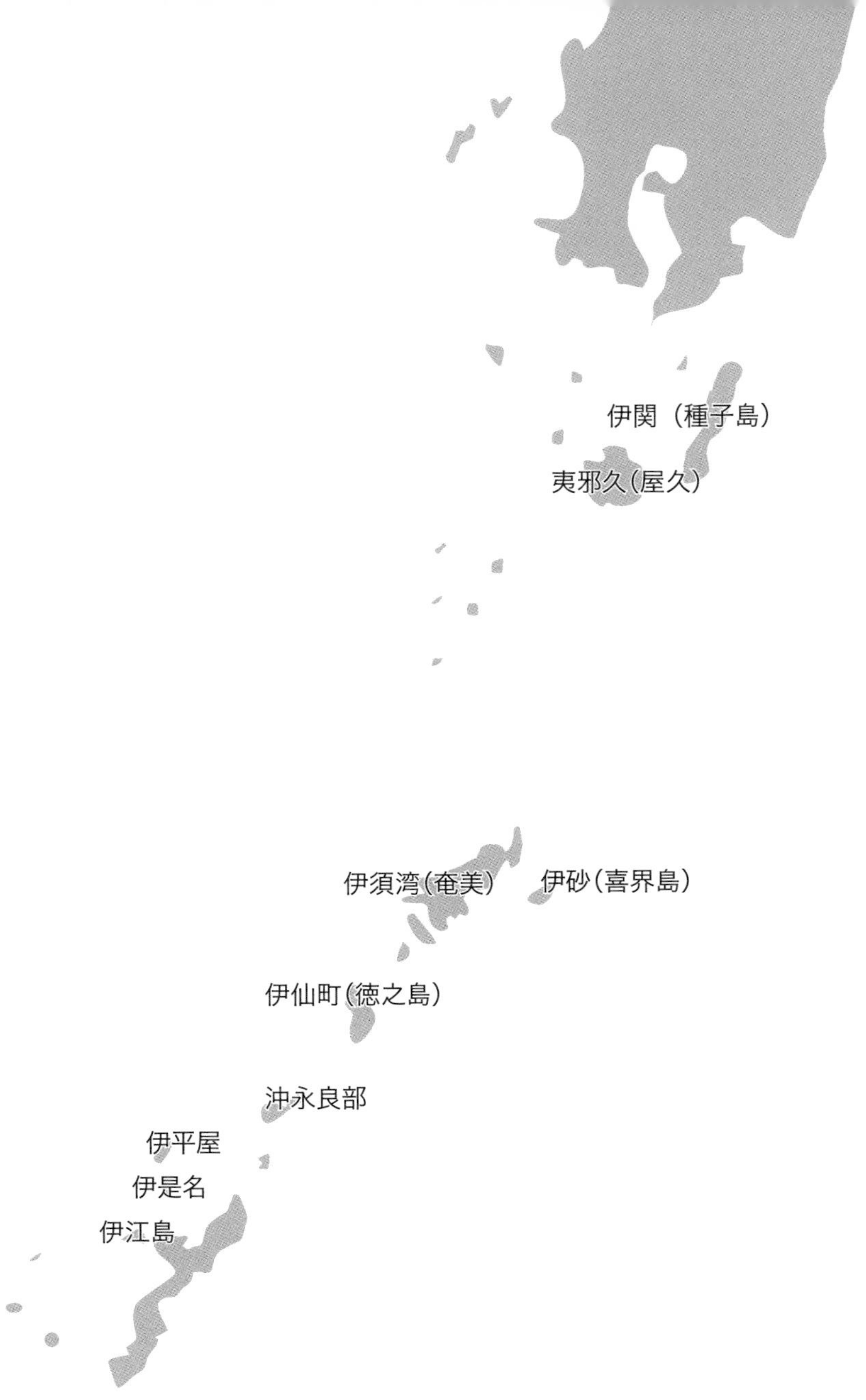
伊関（種子島）
夷邪久(屋久)
伊須湾(奄美)
伊砂(喜界島)
伊仙町(徳之島)
沖永良部
伊平屋
伊是名
伊江島

〈伊は神の道につながるサイン〉

伊の地名を訪ねる旅は、これら南の島々だけで良いだろう、とホッと一息ついて終わりにしようと思ったのですが、「ほんとにそれで良いの？」と。黒潮は休むことなく北上を続けて、とどまらない。黒潮と南風に乗った古《いにしえ》の倭人たちも次から次へと日本列島に上陸し、その足あとを刻んで行ったに違いないのです。

ハビル「これで伊の旅は終わり？」

タオ「ううん、まだまだ。黒潮は屋久島周辺で右と左に分かれるんだ。左側は日本海に注ぎ、右側は九州の南を通って太平洋に出るんだよ！」

ハビル「まさか黒潮の流れに沿って伊の字のつく地名があるというんじゃないでしょうねえ」

タオ「そのまさかなんだ！それがあるんだよね。多分に伊一族の知恵なんだと思う。薩摩半島の地図をよく見てごらん。その中央付近には何がある？」

ハビル「…あっ！伊集院がある！それだけじゃないわ、その北に行くと伊佐がある。沖縄本島の地名と同じだわ。どうして？」

タオ「僕も伊の字を辿った時には、キツネにつままれた気分だったよ。九州の左側をまわると佐賀には伊万里があり、日本海に出ると出雲の伊名佐《いなさ》の浜に着く。出雲大社の御神体がイラブウナギ。海ヘビなんだ。移動の最終地点は、京都の若狭湾に入って伊根に辿り着く。」

ハビル「これって何よ！まるで神々の道って感じじゃない？」

タオ「いい勘をしているね。だから文献がなくってもね、地名をたどれば、昔むかーしに海を渡った人たちの姿がかすかに判ってくる…。消そうと思っても消せないんだ！でもそれだけじゃないんだ！太平洋側を調べるともっと面白いものが次々と現れるんだから！」

ハビル「九州島の南の端、都井岬は関係がないかしら？」

タオ「ハビル！どうしてそう思うんだい？」

ハビル「だって都井岬の井の字をイタリアの伊に変えたら、伊の都になるでしょう？伊族が入った都の入り口で、宮崎の西都原《さいとうばる》が生きてくるでしょう？西からきた伊族の仲間たちがつくった都で大古墳がある原っぱ、ってこうも理解できるんじゃやない？」

タオ「凄いよ、ハビル！西都原古墳群に南からきた海人族を結びつけるなんてさ。さらに豊後水道を瀬戸内海に向かうと、四国の伊予国に着く。つながるよねー！」

ハビル「誰かが都井と西都原と伊予。この謎を解いてくれないかしら？そうだと嬉しいわね。それでも黒潮は流れ続けている…」

タオ　「黒潮に乗って伊の字もつながり続けているよ！」
ハビル「そう？では黒潮は四国の南側を通ってと…伊はつながる…。アッ！紀伊半島の伊もそうなのかしら？」
タオ　「多分そう。紀という姓と伊族の伊が合体したと想定できるんだが、それはあくまでも仮定の話。それよりも黒潮の流れを前に進めよう！」
ハビル「そうね。紀伊半島を過ぎて…伊の字のつく地名は…と。タオ！凄い！伊勢湾があって、伊勢神宮まであるわよ！それに伊良湖崎までも！」
タオ　「そうでしょう？僕も驚いているんだ。伊の字を考えるキッカケになった本、それが『海上の道』なんだ。作者の柳田國男は伊良湖崎に流れ着いた椰子の実をヒントにこの本を書いた」
ハビル「あなたが口癖のように言っていた『海上の道』に出合わなければ今の僕はない！ということにつながるのね！」

タオ「そうなんだ。感慨深いんだ。あれから50年余りが経っている。伊の字の地名を辿ったら伊良湖崎に着いたなんてねえ。椰子の実と一緒じゃないか?とね」

ハビル「それこそ、神のなせるワザなんじゃないの?」

タオ「あまりにも話が合い過ぎるんだよ…よくぞここまで来たもんだとさ〜」

ハビル「名も知らぬ遠き島より流れ寄る椰子の実ひとつ…あの島崎藤村の

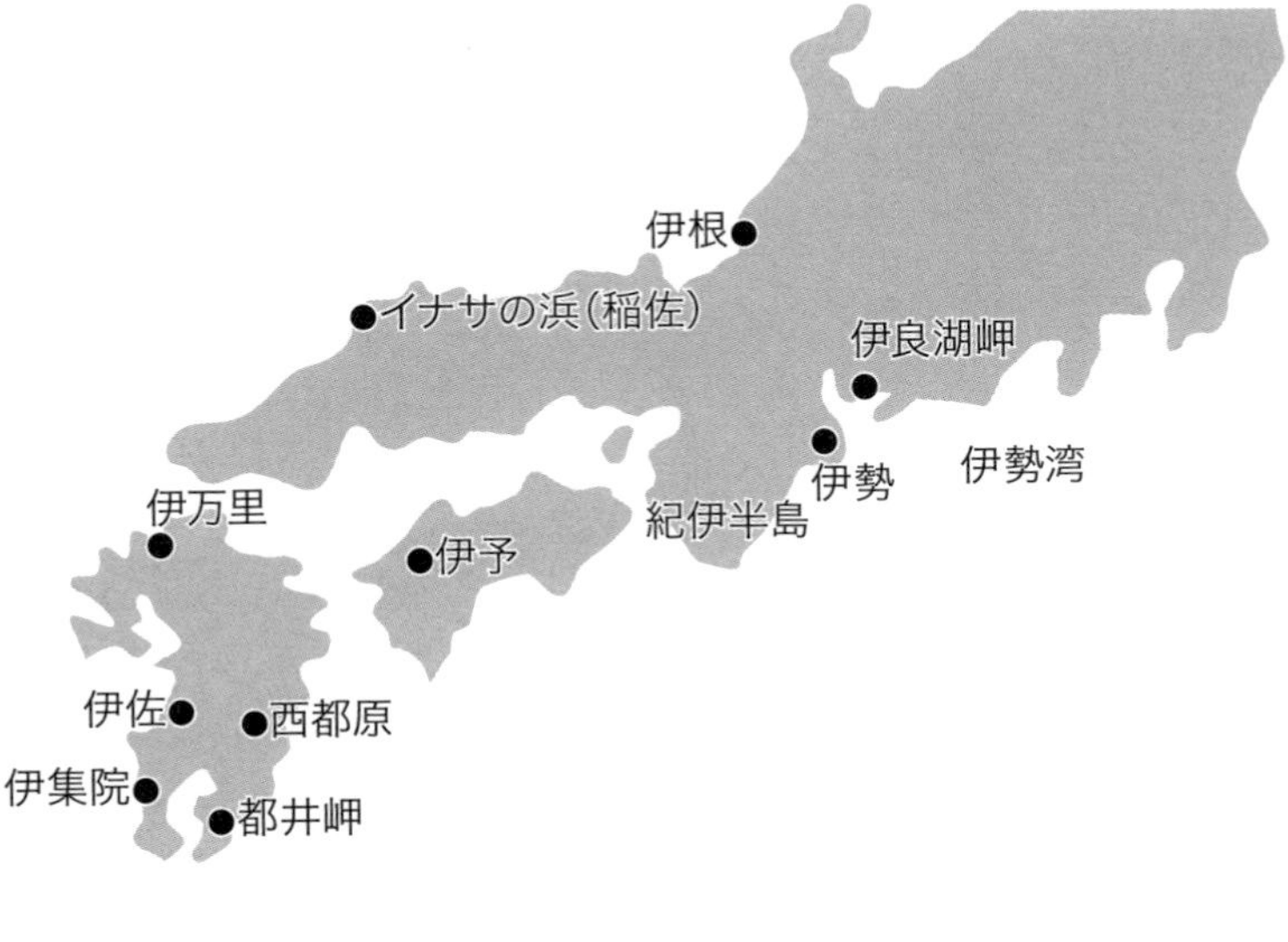

歌。それと伊の字が合体したというのは、あまりにも神秘的よね。南の島々から様々な倭人たちの文化がたどり着いた…。これも柳田先生のお導きかしら…？」

タオ「南の人々や文化を切り捨てる！あるいは無視し続けるなんてこと、もう時代が許さなくなっている」

ハビル「そうよ！南からたどり着いた椰子の実に語らせればいいのよ！」

タオ「それに伊の地名を残した伊尹《いいん》の一族は、実にすばらしいヒントを残してくれているんだよねえ〜。彼等は伊の字の地名を道標《みちしるべ》に古代日本が形づくられた姿を探るように旅をなさい！と語っていると…」

〈地名や言葉たちが語るもの〉

地名の「伊を旅する」コーナーが長くなりましたが、これは柳田國男の『海上の道』を50年余りも追い続けてきた結果がもたらしてくれたものであり、何とか自分なりに一応の区切りはつけることができたとホッとしているところです。

まさか伊の字の地名と伊良湖崎の椰子の実とがひとつになって合流するとは、とても信じられないことでした。これはまた「日本への南島文化の影響を研究せよ！」と遺言された氏からの贈り物でもあろうと思っています。

文献を重んじる研究者には、南島の資料は少なく、近づき難いテーマであるだけに、です。市井の僕たちが今も考え続け、取り組む必要があるんだと…。

さらに、日本列島に色濃い影響を与えたであろう人たちの言葉や人の名前がこの南島に残っているのです。

まず、kusa（クサ・草）、eka（エーカ・共通の・沖縄語で親戚）、agha（アガー・苦痛・沖縄語で痛い）、ni-laya（ニラヤ・宮殿）で、すべて沖縄語として残っており、今も使われています。驚きは、mithuna（ミートゥナ）で意味はつがい。沖縄語ではミートゥンダ（夫婦）で、日本語のミョート・メオトにつながるのです。

また、人の名前では、カマドは台所のカマドではなく、カマドゥーで、意味は「すべての願いを叶える女神」。ウシーは「希望」、ナベは「中心」という風に、我が子に名付けるのに相応しい夢と希望にあふれた名前になっています。

実はこの言葉や名前はサンスクリット語です。インド大陸に発生した言葉たちを、誰が、いつ頃、この島々に運んだのかはっきりはしていません。がしかし、推測の域は出ませんが、３５００年以上も前にインダス文明と関係のある人々がこの島々に滞在し、通り過ぎて行ったのは確かなことであり、言葉たちがそれを証明してくれています。

では、どのような部族たちが通過し、日本列島に上陸したのか？ヒントをくれた本があります。

第6章　古代を旅する夢舞台

〈幻の書は挑発する〉

では、卑弥呼の時代までにどんな部族が琉球諸島群(台湾から屋久島までの島々)や九州南部地域に割拠していたのでしょうか？強烈な資料が残っていました。幾多の戦禍や圧力をはねのけて生き残ることができた資料があったのです！この希有な資料をもとにして出版されたのが『岩屋天狗《いわやてんぐ》と千年王国』という本なのです。この本には、前述しました中国の歴史書の記述を裏づけるかのような、南から日本列島に辿り着いた部族名が列挙されています。それがなんとアッと驚く氏族ばかりなのです。

著者の窪田志一《くぼたしいち》は、琉球諸島群の島々に割拠している倭人集団の部族は①和珥《わに》氏②平群《へぐり》氏③皇室④大伴《おおとも》氏⑤蘇我《そが》⑥葛城《かつらぎ》氏⑦巨勢《こせ》の7部族としています。しかし、本の地図に記入している島がどこなのかは書かれておらず想像するしかありません。
まるで彼等がどこの島にいるのか当ててみよ！とばかりに挑発しているようにさえ思われます。更にまた「薩摩半島の中央部には、太伯の子孫の証明となる姫氏がすでに上陸していて勢力を広げていること。その本流は蘇我氏であり、それから枝分かれしたのが紀氏(木氏)伊集院である」と記述しているのです。これでもビックリなのですが、もっと驚くのは物部氏なのです。彼等は島々から拠点を移して「宮崎県の西都原《さいとばる》付近に基盤をつくっている」ということなんです。この著者の指摘はにわかには信じることはできませんが、前述した中国の3史書の倭人の移動を参考にしますと真実味を帯びて、私に迫ってくるのです。

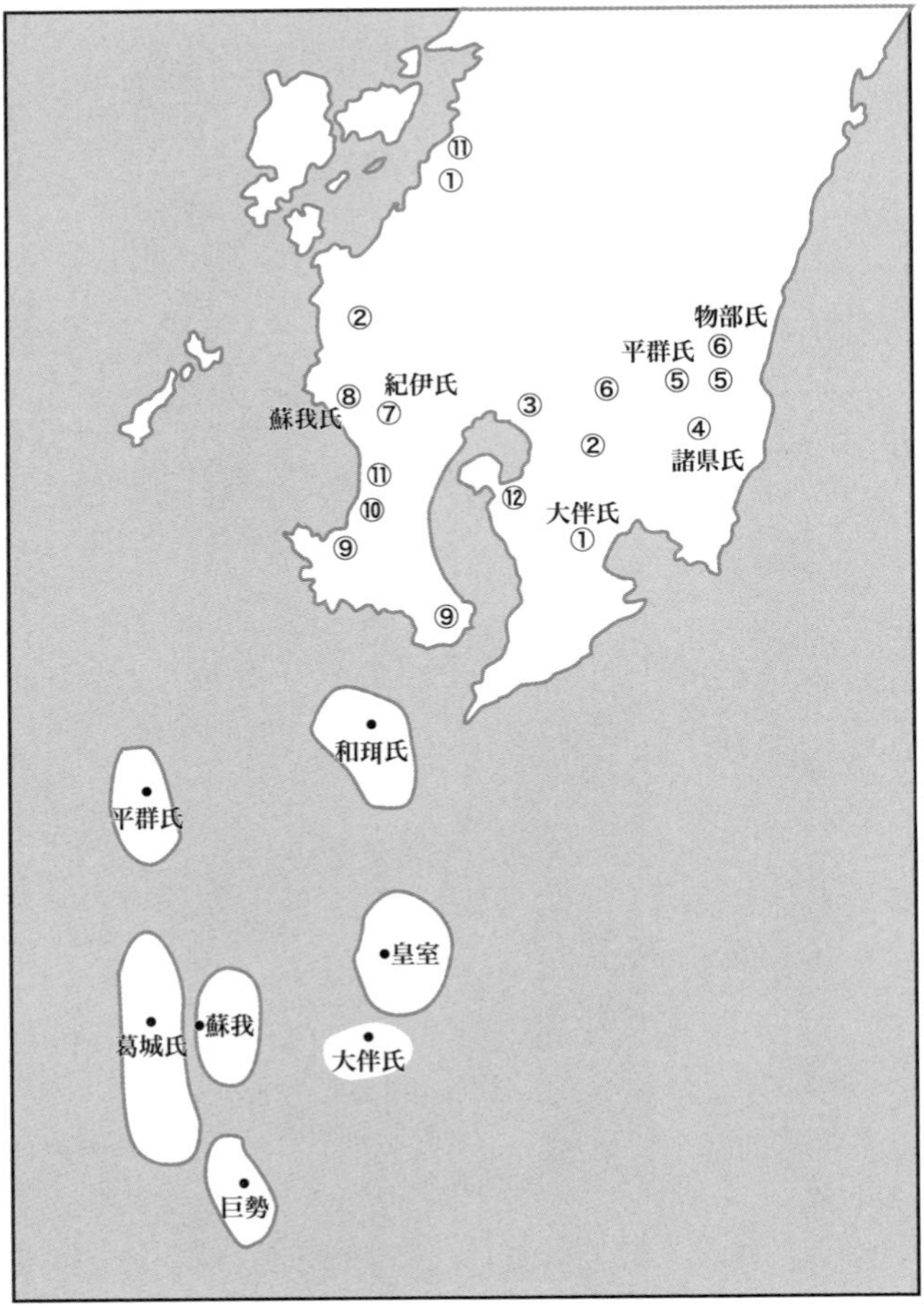

『岩屋天狗と千年王国』より

古代日本の名だたる豪族たちが、琉球諸島群や南九州に勢力を広げて割拠していたという記述は、黒潮に乗って移動してきた南の氏族の文化が、確実に日本列島に根づき始めていたことを想いおこさせるのです。

ところで沖縄本島北部にある大宜味村塩屋の海人祭《ウンガミ》は、約2000年前の九州地方と琉球諸島群との交流の姿を今に残している祭と言われています。

祭は、旧盆の7月15日のあとの亥の日に行われ、海の神を迎えて豊かな稔りや豊漁、無病息災を祈願します。祭の最後には、女性たちが海岸に出て黒潮に乗って北へ向かう「神様を送る」仕草をします。神々は塩屋を出たあと伊平屋に引き継がれ更に奄美大島へと渡っていくのです。

この意味について『赤椀の世直し』の著書である名護博氏は「北に向かった神々は、腕輪に使うゴホウラ貝を求めに来ており、それと交換したのが北九州で製作された丁字頭勾玉《ちょうじがしらまがたま》であろう。実際にこの海人祭を指揮する祝女《ノロ》が2000年前の丁字頭勾玉《じがしらまがたま》を

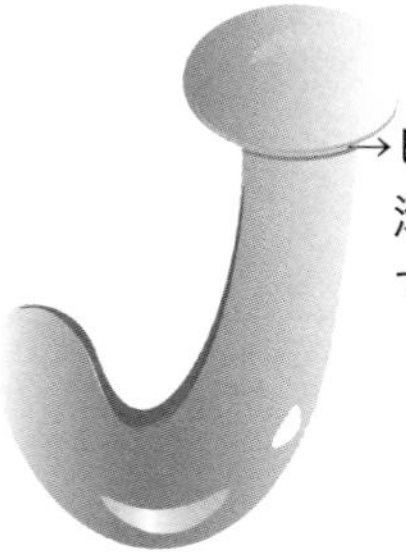

丁字頭勾玉

塩屋区の海人祭に使われている勾玉は、深緑色で約 2,000 年前にゴホウラ貝と物々交換されたものでは？と指摘されている。
しかしその由来については詳しく調査、研究されていない

使っており深緑色の見事なものだ。北九州では遺跡からしか出土しない。」と勾玉とゴホウラ貝製の腕輪は北九州と沖縄諸島群とを結ぶ貴重な品々であり『…王国』の本で指摘されているように少なくとも２０００年前には貝を中心とした様々な部族の交流ルートが確立されていたのです。

この交流のルートを推察できるものとして東アジアに共通して点在している石棺《せっかん》

墓《ぼ》があるんですね。

石棺墓は人の遺体が入るぐらいの長方形の穴を掘って、その側面に石を使って囲いを作り埋葬した墓のこと。人骨の額や下腹部にはシャコ貝の殻が置いてあり、海を旅した古代人の心を偲ばせる埋葬方法となっています。

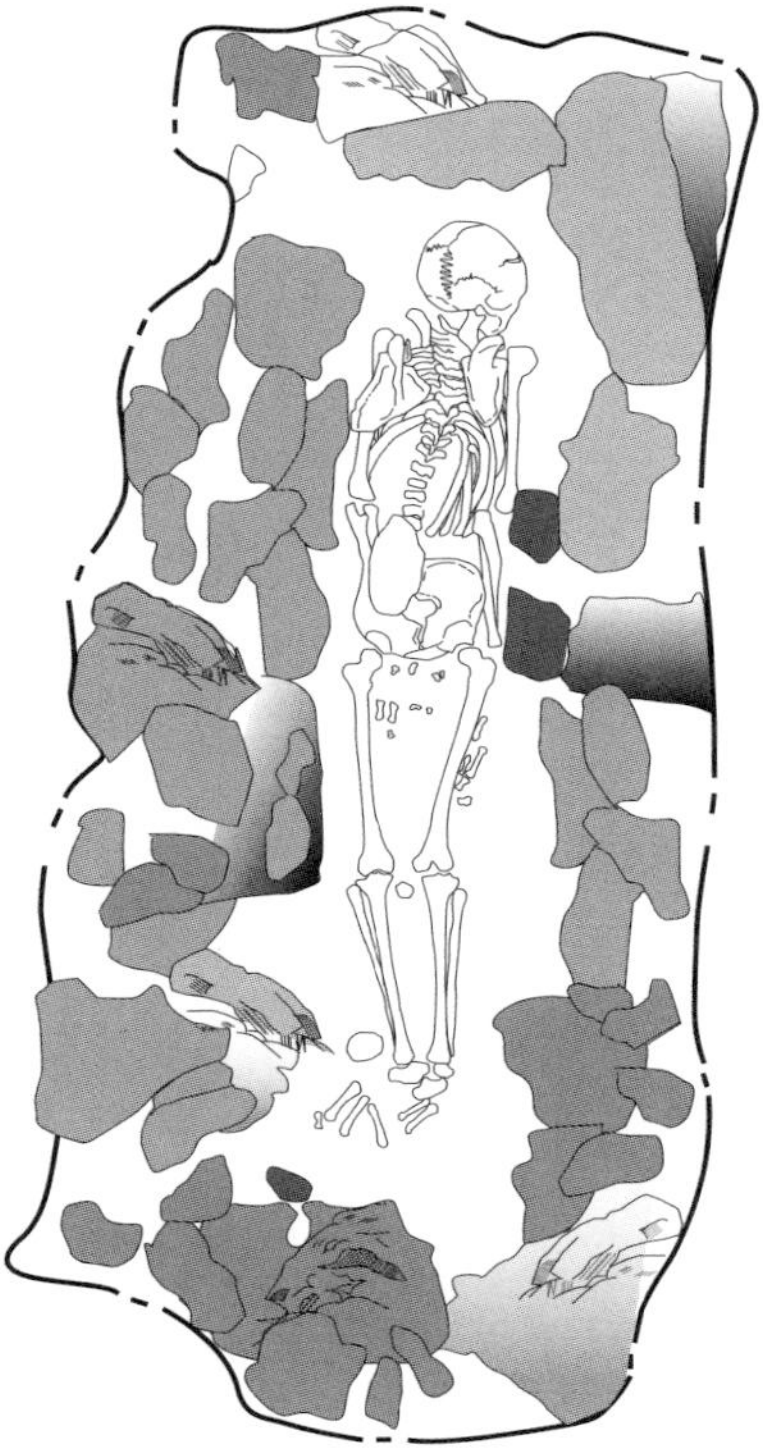

石棺墓のイラスト

実は、石棺墓の出土状況は、正に琉球諸島群に居住していた人々が古代の日本列島に大きな影響を与えたであろうことを示唆するものとなっています。

それが出土した場所を時間の経過をみながら列挙してみますと、その代表的なものは、なんと言っても台湾の台東市にある卑南《ひなん》遺跡です。ここからは１０００基を超える石棺墓が出土しており、３４６０年前から２８００年前のものといわれています。

続いて時代は下り、沖縄本島南城市にある武芸洞です。ここから２５００年前の石棺墓が出土し、その中から大昔に埋葬されたとは思えない程の完全な人骨がみつかっています。この人は身分が高かったのか、その腕には貝《かい》で作られたビーズのブレスレットが副葬されていました。

更に北に向かって行きますと、読谷村の木綿原《もめんばる》遺跡があります。

ここからは約２１００年前の７基の石棺墓が出土しておりそして伊江島のナガラ原

遺跡や徳之島伊仙町のトマチン遺跡からも2000年前の石棺墓が出土しています。

このような流れからみますと、この墓制は北から南へ伝わったものではなく正に黒潮に乗って南から北へ移動した海人族＝倭人集団の姿がみてとれるものなのです。

それを証明するのが長崎県の高島にある宮の本遺跡です。ここからは2000年前の、続いて福岡市の野方遺跡からは1800年前〜1700年前の石棺墓が出土しており、貝の流通ルートを連想させる遺跡となっています。

この人骨の上腕骨は下肢に比べて太く「筋肉モリモリのマッチョ的な人物であったであろう」と表現されています。

この特徴は戦前サバニを漕いで集団で島々を渡りながら漁をしていた糸満の漁師の姿を彷彿《ほうふつ》させるもので、正にかの人物も海を友としてサバニを漕いでくらしていた人々の一員だったのでありましょう。

南から海の旅をしながら、日本列島に辿り着いた海人族の姿は、島々にかすかに残されています。その点と点をつなぎながら、物語は次のステージへ大胆に展開してゆきます。

窪田氏の信じ難いような記述を裏付けるものはないか、と長い間にわたって思いをめぐらせていました。思い続けていると、不思議なもので突然に向うの世界から答が飛び込んでくることがよくあるのです。

〈推古帝は暗示する〉

向こうからやってきたのは、姫氏本流の蘇我氏のことについてでありました。手がかりを与えてくれたのは、推古帝でした。帝は、蘇我氏についてきわめて重要なことを表現しています。

「蘇我の子らは、馬なら日向の駒《こま》、太刀なら呉の真鋤《まさき・まささび》…」と。どうしてこんなことが手がかりになるのか？と不思議に思うかもしれませんが、実は南の黒潮文化に注目していた私にとっては、琴線に触れるものがあり、小躍りして喜んだのです。これが意味するものについて、私は次のように解釈しました。「蘇我氏は、呉の流れを組んだ姫氏一族である。彼等は切れ味の鋭い呉の鉄剣を愛用している。馬は大陸から琉球諸島群に移入した後、日向の都井岬に放牧した馬を第一としている」と。どうして蘇我の男子は呉の鉄剣を使うのか？について、帝が表現しているのは「彼等は紛れもなく呉の出身である。それ故にふるさとから持ってきた太刀を使うのです」とそれとなく仄めかしているのです。また、馬については、大陸から琉球諸島群を経由して日向(宮崎県)の都井《とい》岬に放牧したことをイメージさせるように手がかりを与えているんですね。

現在も都井岬には、野生の馬が放牧されています。多分これは、その名残りなんだと私は考えています。しかし、推古帝はどうしてかくまでに蘇我氏を評価し暖かく表現したのか？不思議な思いにかられました。これは多分に彼女の時代までは、蘇我氏に代表される南からの人や文化が大切にされていましたよ、という表現であろうということですね。これはまた坂をサカと言う大陸系の人々と坂をヒラと言う南の海を渡ってきた人たちとが仲良く暮らしていたことをイメージさせるものでもあります。

がしかし、私は黄泉比良坂《よもつひらさか》でイザナギが大きな石を置いて封印したものは、南からやってきたものであると

都井岬馬の放牧

仮定しましたが、封印した中味が何であるのか？それがなかなか判らなかったのですが、推古帝の表現で閃くものがあったのです。帝は、南の文化のシンボルとして蘇我氏を使ったのに違いない。とすれば、封印したものは蘇我氏に関係することではないか？と。自分の直感に従って蘇我氏に焦点を当てて考えることにしたのです

〈聖の文字の入った2人の天皇を探せ〉

私は18歳の頃から夢を記録し、夢に教わることがよくあった、と言うと「うさん臭いやつだ」とでも言うような軽蔑した眼差しを向けられることがよくありました。化け物でも見るかのようにですよ。その夢が正夢であったり(かなり少ないですが)、生きるヒントになったり(これは結構多いです)、たわいもないものであったり(ほとんどです)と様々です。夢を記録するという習慣を50年以上も続けていますと、突拍

子もないことを教わる時があります。

「南から海を渡った倭人たちは、日本列島にどう定着したか?」というテーマを書いているうちに突然筆が止まり、壁にぶち当たっていました。このような時にです、どういう訳か夢がヒントをくれるんです!

その夢は、「聖の文字の入った2人の天皇を…」とですね。不思議な言葉が出てきたんです。それは一体誰なのか?まずすぐに浮かんだのが聖武天皇でした。調べてみると、45代目の天皇で701年から756年まで生きたこと、在位は724年から749年までの25年間の天皇とありました。他に聖の文字の入った天皇は、いくら調べても出てきません。おひとりだけなのかなあ、と聖武天皇を検索し続けていますと興味をそそられる解説や記録が目につきました。心に残ったものは「聖武天皇以降、藤原一族の一千年の栄華の基礎ができた」というものでした。

わ!これは正夢に近い。壁を突破するヒントを得た!と直感的に思いました。つまり、琉球諸島群を通って東支那海を渡った倭人たちの記録を消したことと深いかかわりがあるはずだ！と。
推古天皇から聖武天皇までの間に聖の文字の入った天皇はいないか？と。しかし、いくら探してもでてきません。ところが、天皇ではないが、聖の文字が入った人がたったひとりいる！聖徳太子です。もしかすると、夢が言っていた聖の文字の入ったもうひとりの人物かもしれない、と聖徳太子のことをパソコンで色々と調べてみました。驚きました。聖徳太子の周辺には秘密がいっぱいだったのです。列挙してみます。

㋑こんな名前の人は実在しない
㋺一万円札の聖徳太子像は嘘(にせもの)である
㋩蘇我入鹿と同一人物である
㋥史実を隠し、物語にする為の架空の人物である
㋭彼は６４５年の乙巳《いっし》の変で暗殺された

などです。この指摘が真実であるかどうかは歴史家にまかせることにして、市井の歴史面白がり屋は、更に前へ進んでみることにしました。

夢が教えてくれたものは、「聖徳太子と聖武天皇との間にヒントがある。聖徳太子(=蘇我入鹿と仮定)が暗殺された645年から聖武天皇が即位した724年までの80年間の歴史に注目せよ!」ということだと考えました。遠い昔に海を渡った倭人たちの物語と関係するものがこの期間にあるかどうか、興味津々です。

聖徳太子といわれているイラスト

〈もうひとりの聖の字の昔物語〉

ハビル「あなたの夢からの発想って、とても幻想的でユニーク。面白いって感じるのよね～、何か発見があったんじゃない？」

タオ「そう！一番興味深かったのは、聖徳太子が蘇我入鹿《そがのいるか》と同じ人物だったということ。奇想天外というか、とても信じられる話じゃないよね」

ハビル「でも今は信じているって顔してるじゃない」

タオ「まあ、仮によ、同じ人物だと設定するとさ、興味深いことがいっぱい出てくるんだよね。古代日本の姿がハッキリと見える気がするから不思議なんだよなあ」

ハビル「古代日本の姿って？どんなことが見えるのよ？」

タオ「例えばだよ。ムシノイキ大化の改新６４５年ってさ、高校時代に年代を覚えたでしょう？実はその年は大化の改新ではなくって、蘇我入鹿が暗殺された年だった。今は乙巳《いっし》の変《へん》ってことになってるんだよね」

ハビル「イッシのヘン？私達が習ったものとは違うじゃない！」

タオ「それがさ、中大兄皇子《なかのおおえのおうじ》と中臣鎌足《なかとみのかまたり》、今は藤原鎌足といわれているね、この2人が共謀して油断していた入鹿を、ある意味では2人を信じきっていた聖徳太子を殺したって事件だよ」

ハビル「なんでまた徳のある人を殺さなければならなかったの？」

タオ「ある意味ではクーデター。政権を乗っ取るための権力闘争ではないかな」

ハビル「なんのために蘇我入鹿、あなたが同一人物と仮定している聖徳太子を殺さないといけなかったの？」

タオ「それが傑作でさ、蘇我氏が天皇家を乗っ取る動きをしていたので、やむを得ず殺したと記録にはあるそうだが、信じられる？」

ハビル「記録にあるなら信じるしかないでしょう？」

タオ「だから日本の古代が良く見えるというんだよね。信じるしかない、記録にあるなら、ってさ。しかし中大兄皇子らの本心は蘇我天皇を殺して自分が天皇と称したかったのではないか？という説もあるよ」

ハビル「歴史書は権力闘争に勝ったほうが自分たちの都合の良いように記録するって言うものね？つまりはそれってこと？」

タオ「世界中、みな同じじゃないのかなあ。自分たちの行動を正当化するためにさ〜。前の王様は悪虐《あくぎゃく》の限りを尽くしたから成敗《せいばい》した！という風にね。ほとんどの歴史書がそんな感じなんだよね」

ハビル「殺されるのを見て助ける人はいなかったの？蘇我天皇といわれるくらいなら護衛の人もいたはずでしょう？」

タオ「それがまさか2人がクーデターだなんて、考えもしなかったんでしょうね、安心しきっていたんだと。だから護る人もいらない、とね。」

ハビル「誰かそれを見ている人はいなかったのかしら?寝込みを襲われたって訳じゃなくて、昼間のことだったたんでしょう?」

タオ「そうなんだよなあ、ひとつだけ気になる記録があるにはあるんだ。でも、どういう意味があるのかはハッキリしないいんだなあ。」

ハビル「どんなことなの?」

タオ「古人大兄皇子《ふるひとおおえのおうじ》というのがいて、どうも聖徳太子の子ではないか?という人もいるんだが、殺害されるのを見て逃げたらしいんだよね」

ハビル「逃げた?助けもしないで黙って逃げたの?」

タオ「そう、それが賢明だった!22歳ではあるが、武装した2人に戦いは挑《いど》めないでしょう?下手すると自分も殺されかねない、ってね」

ハビル「逃げるのが賢明だった…なんてねえ。気になる記録ってどういうものなの?」

タオ「彼が自分の宮に逃げてきて、泣きながら言ったっていう記録。鞍作《くらつくり》が韓人《からひと》に殺された、っていう。」

ハビル「クラツクリが？カラヒトに？」

タオ「クラツクリというのは、蘇我入鹿のこと。カラヒトというのは、朝鮮の百済からやって来た人という意味だよ。」

ハビル「カラヒトというのは中大兄皇子や鎌足のことなの？」

タオ「う〜ん、これにもいろいろな説があるんだよなあ。中大兄皇子は百済王の次男だから、中大兄というらしいんだ。長男は中という字が入らない大兄になるんだって。鎌足も百済出身の重要な人物だったんだ、と。」

ハビル「どうして百済の人が入鹿と親しいの？外国の人なんでしょう？」

タオ「それが違うんだ。昔から、百済も倭国も同じ倭人で兄弟のようなものだったらしいんだ」

7世紀後半

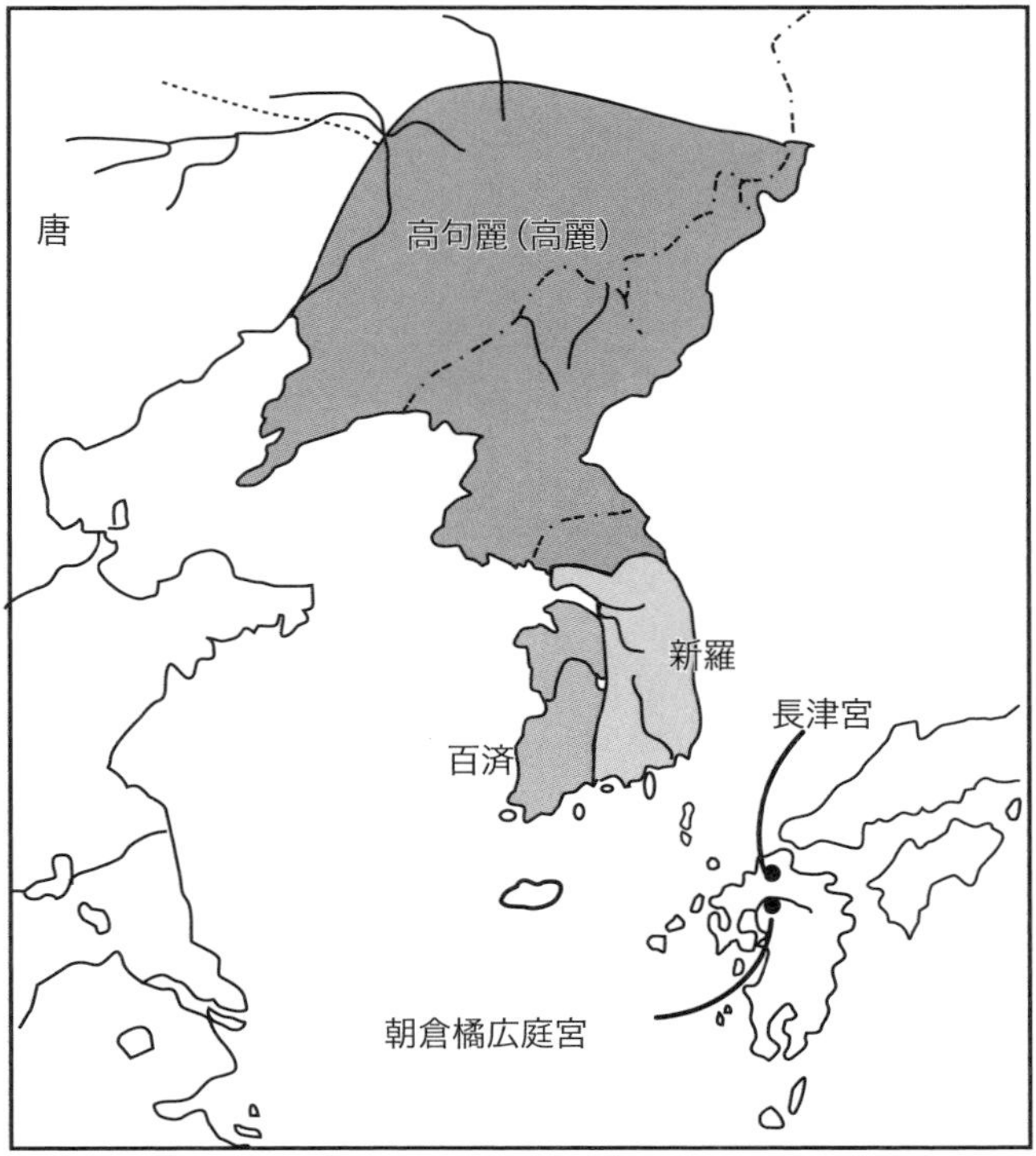

ハビル「へぇ〜、王様たちが親戚関係にあった、ということ？」

タオ「そうそう！遠い昔、南の海を渡った倭人の一部の集団は、九州の西海岸を通ってね、朝鮮にも勢力を広げていたんだって。だから親戚筋の人が多いんだってさ！」

ハビル「海を渡った海人は凄いのね！王様も生み出すとはねぇ」

タオ「王様で後継がいない時には、お互いに朝鮮も倭国も補い合っていたらしいよ」

ハビル「ってことは、乙巳の変は、百済系の王室が倭国の王室を乗っ取った！ということになるの？」

タオ「そう！いわば遠い昔の、親戚筋の人たちの主導権争いのようなものだった、と考えてもいいんじゃないのかな〜」

ハビル「そう？でも気になるわ、カラヒトに殺された！って泣いて叫んだというあの青年、ホントに聖徳太子の子なの？」

タオ　「これは教科書には絶対に載せられない話だよ。聖徳太子は蘇我入鹿と同じ人物であること。またの名を蘇我善徳《そがのぜんとこ》と言い、別名鞍作《くらつくり》とも言うなんてことは。」

ハビル「あの青年の母親は誰ということになってるの？」

タオ　「これにも色々な脚色があるようなんだけれど、私は聖徳太子の２番目の妃、刀自古郎女《とじこのいらつめ》という説を信じているよ」

ハビル「待って！トジコ？これって沖縄口《うちなーぐち》のトゥジと一緒じゃない？」

タオ　「そう！今でも沖縄で使っている言葉、トゥジと一緒！妻であり、奥さんのことだよね？彼女は物部《もののべ》氏の血族だと言われているんだ」

ハビル「その刀自古郎女と聖徳太子との間にできた子ども、それが古人大兄皇子というの？とても信じられない！」

タオ　「そうだよね、正史では古人《ふるひと》ではなくて山背大兄皇子《やましろおおえのおうじ》ってことになっているけれど、その後に起きた出来事をみれば、なるほど！と腑に落ちるから不思議だよ」

ハビル「太子の長男が山背大兄皇子と正史にあるんでしょう？どうしてあなたはそれを信じないの？」

タオ「だって正史には山背大兄皇子を殺したのが蘇我入鹿ってことになっているからねえ〜」

ハビル「入鹿と太子が同一人物としたあなたの仮説がおかしくなるわね？」

タオ「自分の長男を親が殺すはずはないでしょう？これはおかしい！と。だから山背大兄皇子は架空の人物ではないかと思ったわけなんだよね」

ハビル「本当の長男は入鹿暗殺を見ていた古人大兄皇子ではないか？という訳なの？」

タオ「そう！それに正史には、中大兄が古人を吉野で殺させたとあるんだよね」

ハビル「それが何か関係があるの？」

タオ「大ありなんだよ！これが。吉野に逃げた大海人皇子《おおあまのおうじ》、のちの天武天皇を連想させるんだよね」

ハビル「古人大兄と大海人が同じ人物だと想定しているわけ？」

タオ「いい勘をしている！そうなんだよ、凄い物語になる！」

ハビル「次から次へと連想が広がっていくのねえ」

タオ「それが古代史物語の面白いところなんだよね」

第7章　古代史をわがモノに！80年間の死闘

〈日本史脚色の大舞台〉

「聖の文字を持った2人の天皇を…」という夢。この夢を私は「蘇我入鹿こと聖徳太子が暗殺された645年と聖武天皇が即位した724年の意味を考えるのですよ」というメッセージだと受け止めました。夢の世界からのメッセージをよくもまあ、そんなたわけたことが言えるよね～？とこんな声が聞こえてきそうですが、いたって大真面目なんです。

それでこの645年から724年までの80年間にどんなことがあったのか、調べてみました。それがなんとまあ、日本の進路を大きく変える事件が目白押しだったのです。

645年の乙巳《いっし》の変《へん》の後に起きた、主だった出来事を挙げてみます。

660年　唐・新羅《しらぎ》軍が百済《くだら》を滅ぼす

663年　白村江《はくすきのえ》の戦い（唐・新羅軍対倭国・百済連合軍）

672年　天智天皇崩御、壬申の乱起きる(古代最大の内乱)

673年　天武天皇(大海人皇子)即位

684年　八色《やくさ》の姓《かばね》（壬申の乱の功を誉える）

686年　天武天皇崩御

690年　持統帝即位

691年　18の氏族への詔《みことのり》（古文書や系図を取り上げる）

701年　大宝律令発布（不比等《ふひと》の孫聖武天皇誕生）

703年　持統帝崩御

710年　奈良・平城京

712年　古事記完成（不比等右大臣で影響力）
720年　日本書紀完成（不比等逝去）
724年　聖武天皇即位
となっています。

この80年を色どる最重要人物は、聖徳太子こと蘇我入鹿、それに聖徳太子の子と仮定した古人大兄皇子のちの大海人皇子（のちの天武天皇）。彼等は推古帝の意志を継いだ集団の代表で、古来から日本で大切にされてきた「和をもって貴しとなす」を信条とするグループAの人たちです。

もう一方は、天智天皇・中臣鎌足（藤原の始祖）らで、百済からきた、あらゆる手練手管を使って国を盗ることを信条とする集団、グループBの人たちです。

このAとBの集団でバトルが展開されたのがこの80年間の特徴だと思います。しかし、この間の権力闘争のある部分（後ほど詳しく書きますが）を除いて本当の姿がなかなか見えてきません。真相が浮かび上がってこないように重要な所で脚色されているように感じられるのです。『古事記』や『日本書紀』が何を隠し、何を封印したのかを抉《えぐ》り出したいのです。

この80年間の歴史で腑に落ちないことが色々あります。まずは、この間に登場した人で生年月日の判らない重要人物が2人います。たった2人なんです。グループBにはいません。グループAの人物、ひとりは蘇我入鹿。あとひとりが、そう！天武天皇です。

一人目、蘇我入鹿。入鹿は生まれた年が不明で、645年に暗殺されたことになっていますが、どうして生まれた年が判らないのでしょう？不思議です。それでいてこの物語では同一人物と仮定した聖徳太子。彼の生没年はハッキリしているんですよねえ。記録では574年に生まれて、622年に48歳で死んだことになっています。

これらのことを疑いもせず、ホントのことと思い信じてしまいますと、新しい発想は生まれてこないと思うのです。聖徳太子がやった事業とのツジツマ合わせに必死になるあまりに、あとは何が何だか判らないようになってしまい、迷路に入ってしまうのがオチだと思うんですよね。

ここで発想を変えて、聖徳太子の生没年から私が着目したポイントはふたつです。ひとつは、聖徳太子は48年間生きたということ。もうひとつは、622年に亡くなったということ。この2点にしぼって推理してみたら、こうなりました。

蘇我入鹿と聖徳太子は同一人物でありますから、入鹿が死んだ645年の48年前、つまり597年に入鹿は生まれたことになります。どうしてそれを隠す必要があったか？いろいろなことが考えられますが、一方は大聖人にまつり上げる、そしてもう一方は大悪人に仕立てる！こうする必要がずっと後になって出てきたということではないでしょうか。他にもあるとは思いますがね？例えば記・紀を編纂する際に、権力を握った方が正義であり、負けた方は大悪人だった。その為に成敗する必要があったというように。事実、歴史はその通りに説明されています。

二人目は最重要人物である天武天皇。この天皇の生まれた年が不詳ということになっていることに驚きました。33代目の推古帝から45代の聖武天皇まで、生まれた年が判らないという天皇はたった一人です。日本の正史ですよ?おかしいでしょう、天皇の生まれた年がわからないなんて。いくらなんでもですよねえ。これって何かあるんじゃないの?と考えました。思いをめぐらせているとピンとくるものがありました。太子が死んだ年に秘密があるのではないか?と。多分それは、太子の後継と関係があるかも、ということです。つまり、太子の生没年を脚色した人は、太子が実在した!と誰もが信じるように、ハッキリとした生没年を入れざるを得なかったんだろうと。その没年をいつにするか迷ったんでしょうね、きっと。脚色する訳ですから。まあ、彼の子が生まれた年で良いか、と考えたとしても不思議ではない。そう考えて、正史にある山背大兄皇子《やましろおおえのおうじ》ではなく、仮説として彼の長男は古人大兄皇子《ふるひとおおえのおうじ》であるとしてみたんです。また彼は後々の大海人皇子《おおあまのおうじ》に名を変え、40代目の天武天皇になった人だ！とこのように仮定すると古人大兄皇子が語ったとされる「鞍作《くらつくり》(入鹿であり太子)はカラヒトに殺された」という声は、真実味を帯びて迫ってくるのです。

古人大兄皇子は正史では中大兄に殺されたことになってはいますが、吉野で逃げのびて、生き続けていたという仮説も成立します。６２２年は、天武天皇(太子の長男)が生まれた年であり、太子が25歳の男盛りの時の子であったと。このこと、つまり天武天皇の生まれた年が６２２年だったということがわかると何かが困るのです。推古天皇から聖武天皇まで関係する人物の生没年です。

ここに第２の脚色が登場します！大きな嘘が本当のような顔をして。

天皇名	生没年	代
推 古	554〜628	33
舒 明	593?〜641	34
皇 極	594〜661	35
孝 徳	596〜654	36
斉 明	594〜661	37(重祚)
天 智	626〜672	38
弘 文	648〜672	39(大友皇子)
天 武	?〜686	40
持 統	645〜703	41
文 武	683〜707	42
元 明	661〜721	43
元 正	680〜748	44
聖 武	701〜756	45

関係者

蘇我入鹿　(?〜645)
聖徳太子　(574〜622)
古人大兄皇子　(?〜645)
山背大兄皇子　(?〜643)
藤原鎌足　(614〜669)
藤原不比等　(659〜720)

〈天武天皇は天智天皇の弟ですって？〉

日本の正史では、「天智と天武は舒明《じょめい》天皇を父とし、皇極帝《こうぎょく》（宝《たから》皇女）を母として誕生した兄弟である。天智は６２６年に生まれた兄であり、弟の天武が生まれた年は不明である」とこのような記述になっています。２人は兄弟であり、兄の生まれた年は判っているが、弟の生まれた年は判らない、なんて。そんなことがホントにあるのでしょうか？しかも権威のある天皇家においてですよ？信じなさい！ということの方が不自然です。とても納得の行くものではありませんので、当時の様々な記述を組み合わせて物語にしてみました。まず、天智についてです。

「天智は朝鮮半島の百済国、第30代の武王と宝《たから》姫との間に生まれた。天智は百済の最後の王となった義慈《ぎじ》王の異母弟である」とこのように仮定。その理由は『日本書紀』の記録に「義慈王は、実の母が亡くなったので、腹違いの弟とその母、妹たち合わせて4名を済州島に追放した。その一行に40名の高名な人たちも加わっていた」という記述があったからです。この追放劇はなんと645年の乙巳の変がおこる2年前のことなんです。追放した弟を中大兄皇子とすると、ドンピシャ当てはまるものだから、古代史は面白いのです。この時、中大兄は17歳の青年。一方、天武については正史を全く度外視して大胆に仮説をつくってみました。

「天武の父親は聖徳太子こと蘇我入鹿であり、刀自古郎女《とじこのいらつめ》を母として622年に誕生した」と。このように設定すると「天智と天武は両親が別々であり、兄弟ではない。ましてや天武は弟ではなく、天智よりも4歳年上である」としました。このようなことは正史の記述に不具合が生じるばかりでなく、突拍子すぎてとても認められるものではない！と一刀のもとに切り捨てられそうであります。がしかし、このように仮定すると「天智は百済の王族の系統であり、天武は海人族を祖とする倭国の皇子」という構図になります。

話は変わりますが、私の高校時代、今から50数年前になりますが、その頃は大化の改新はムシノイキ６４５年と教わりました。乙巳《いっし》の変などとはほんの少しも教えてもらってはいないのです。日本史にとっては極めて重要な年でありながらです。今になって中大兄らによる乙巳の変であり、クーデターであったなどと。これはクーデターと表現するものではなく「百済王族による倭国王暗殺というテロであった」と表現した方が後世には伝わると思うんです。たとえ正史にとっては都合が悪くてもです。これが仮説物語の〝ものがたり〟たる所以なのですが…

〈和と武のせめぎ合い〉

「イザナギが黄泉比良坂《よもつひらさか》に大きな石を置いてイザナミを閉じ込めた」という『古事記』の記述について私は、これは南から黒潮に乗って日本列島に辿り着いた倭人や海人族の歴史や文化を封印した！というサインではないかと考えました。

「なにゆえに、琉球諸島群が粗末に扱われるのか？」と、この理由をずっと探し求めてきたんです。この理由がどこかにあるはずだ、きっと何かある、今の沖縄につながる何かがある！とですね？それは６４５年から７２４年までの日本史に答えがあったんです。

つまり、この80年間は、日本の進路をめぐって外国をも巻き込んだ古代日本の二大勢力が激しくせめぎ合った期間だったのです。それはいわば「国の舵をどの方向にとり、どう進めて行くか？」をめぐっての争いであり、その典型は６６３年に起きた白村江《はくすきのえ》の戦いに対する処し方にありました。ひとつの勢力は、聖徳太子が唱え

たとされている「和の精神で臨む」という方向であり、もう一方は、中大兄（のちの天智天皇）らが決行したテロと同じように「武力で対応する」でありました。中大兄らは、660年に滅んだ百済国の遺民の声に押されて、百済国を再建すると称して「断固として唐・新羅連合軍と戦うべし！」と檄《げき》を飛ばすのです。一方の大海人皇子らが主張した「全方位外交を進め、和睦すべし」との声は届きませんでした。押し切られてしまい、いよいよ戦《いくさ》の準備が始まるのです。

中大兄らは、2万7000人の軍隊を3回に分けて百済国に派兵します。倭国・百済遺民連合軍は、玄界灘を越えて百済国に上陸します。その後白村江で唐・新羅軍と交戦するのですが大惨敗して日本に逃げ帰る結果となりました。中大兄らは、この戦いに懲りて唐・新羅軍の日本上陸を恐れ、警戒を強めていきます。都まで遷してしまうんですから。その恐怖感は相当強いものだったのでしょうがしかし、幸いなことに唐の軍隊の上陸はありませんでした。

白村江《はくそんこう（はくすきのえ）》の戦い

（663）

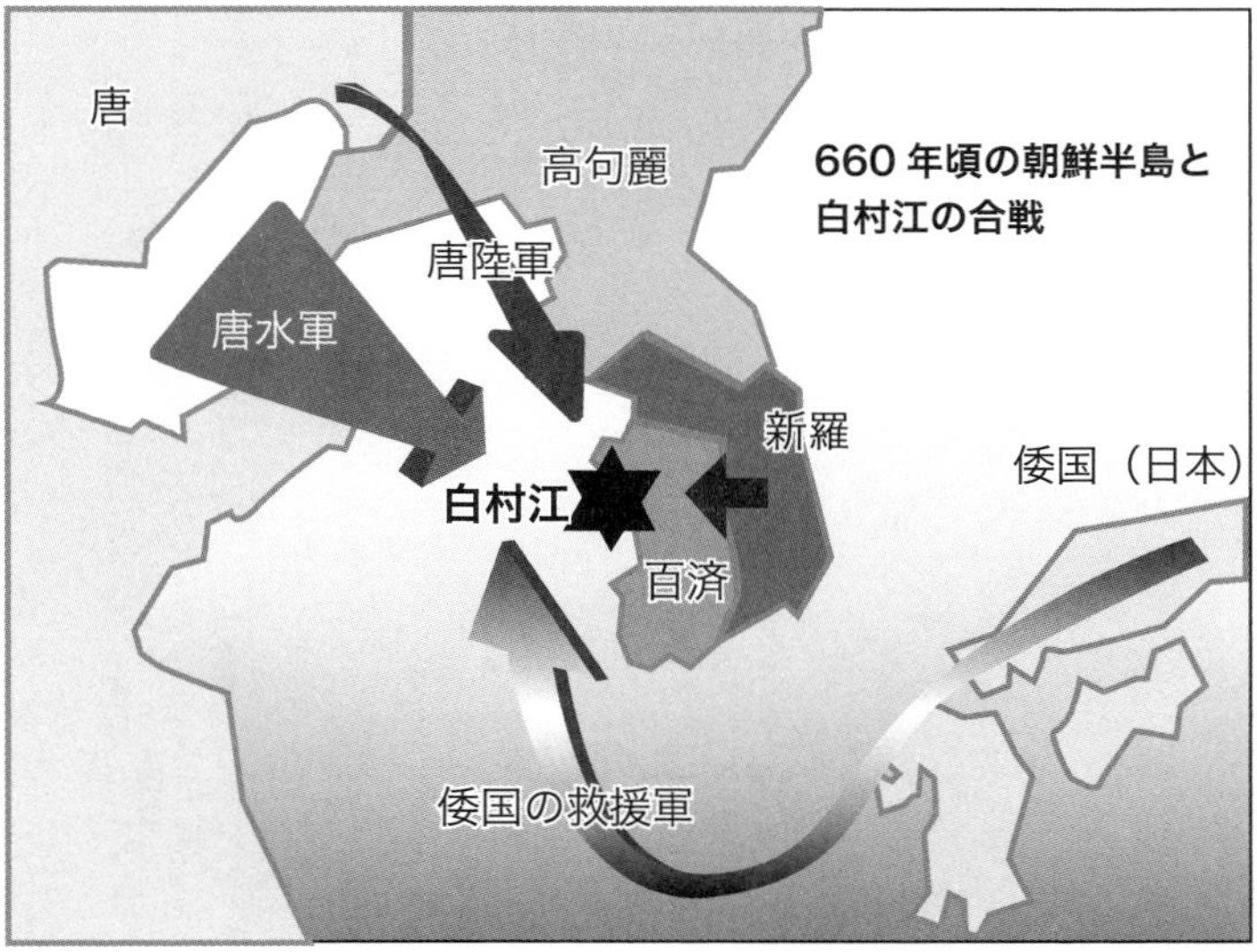

白村江の戦いの結果は、両陣営に様々な遺恨を残しながら歴史は進んで行きます。その後、テロのリーダーだった中大兄皇子は天智天皇となりますが、在位期間はわずか4年で、672年に崩御します。これを機に歴史がまた動き出すのです。「和をもって貴しとなす」との精神を旗印にした海人族のリーダー大海人皇子軍と天智天皇の息子である大友皇子軍との戦争が始まります。いわゆる古代日本における最大の内乱とされている壬申《じんしん》の乱です。

ほぼ一か月に亘る戦いは、大海人皇子側の勝利で幕を閉じました。天智天皇が進めた同志、藤原鎌足との倭国乗っ取り計画は一時挫折します。そして鎌足の息子、不比等ら百済遺民の勢力は一応後方に退き、それに代わって古代日本を形づくってきた天孫族や海人族、それに古くから地域を治めてきた地方の豪族らの時代が到来するのです。

歴史に“タラ・レバ”はありませんが、この勢力がそれからの日本をずっとリードするようになっていたら、アジアや世界に何の遠慮をすることもないホントの古代日本の姿が美しく浮かび上がり、誇り高く語ることができたでありましょう。この後の日本の歴史は不思議な展開をみせます。ここでまずは、歴史を進める前に、南の海から日本列島に辿り着いた集団のことを少しばかり語らねばなりません。それは、壬申の乱で大海人皇子軍の主要部隊であった海人族軍団の歴史に触れる必要があるからなんです。

第8章　和の海彦の時代がやってきた

〈海人族・海神族になった倭人集団〉

東アジアの海を倭人集団がどのような経路で移動したのか?これについて観察する時に、どうしても見過ごせないのが「琉球諸島群」の沈降の歴史です。

台湾からトカラ海峡までの島々は、大陸とつながって陸橋（陸の橋のこと）と半島状に橋をかけたように陸続きになったり、あるいは島々に別れて海に沈んだりと、たかだか3万年の間に大きな変化を繰り返しているのです。島々は、海に沈んだお陰で石灰岩が発達するようになりました。実は、これが重大な役割を果たすのです。と言うのは、石灰岩が旧石器時代の人骨を守り保存する最適の条件をつくったからなのです。アジア地域でホモ・サピエンス、私達の祖先ですが、彼等がどのように移動したのか？それを証明するような世界的に価値のある人骨が次々とみつかっているのです。

例えば、石垣島の竿根田原《さおねたばる》遺跡はその典型ともいえる発見でした。ここでは、2万7000年前の人骨が集団で19体もみつかりました。その中には、岩陰に身体を折り曲げて葬られていた人もおり、あの時代に亡くなった人の葬り方が推察できるばかりでなく、日本で最古の南方系の男の顔が復元されたのであります。

更新世後期（2.5 万〜1.5 万年前：ウイルム氷期最盛期）

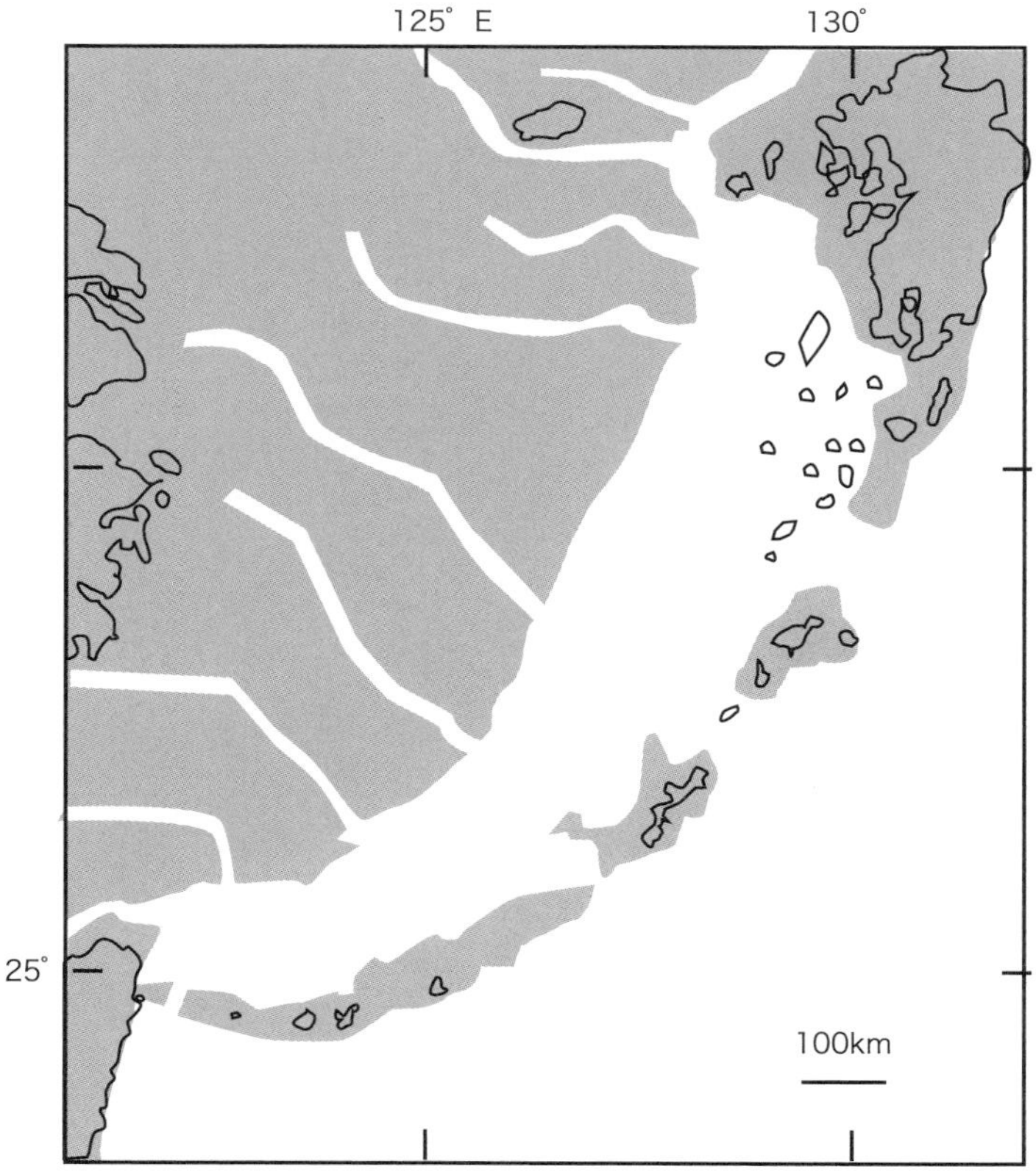

「琉球弧の成立と生物の移動』
木村政昭編著より

石垣島から更に北に進むと、宮古島のピンザアブや久米島からも人骨がみつかっています。転々と移るのはどうしてなのか？これは人々には移動を続けざるを得ない何かがあったとしか思えないのです。続いて、沖縄本島の那覇市からは3万2000年前の山下洞人、それに沖縄本島南部のサキタリ洞遺跡からは2万3000年前の世界最古に匹敵する貝製の釣り針がみつかっているんですね。

日本では、これまでに最も古い人骨として有名であった沖縄本島南部の港川人もかすんでしまうような発見が相次いでいるのです。港川人は今から2万2000年前の人たちであります。また先に述べたサキタリ洞からは8000年前の沖縄独特の土器も出土しているんですよねえ。

このような3万年前から1万年前までのホモ・サピエンスの移動と中国の歴史書に記録されている倭人の移動とは、全く無関係というものではなく、いずれはそれぞれがつながり、日本人のルーツのひとつとしてハッキリと姿を現してくるものと確信

サキタリ洞の釣り針

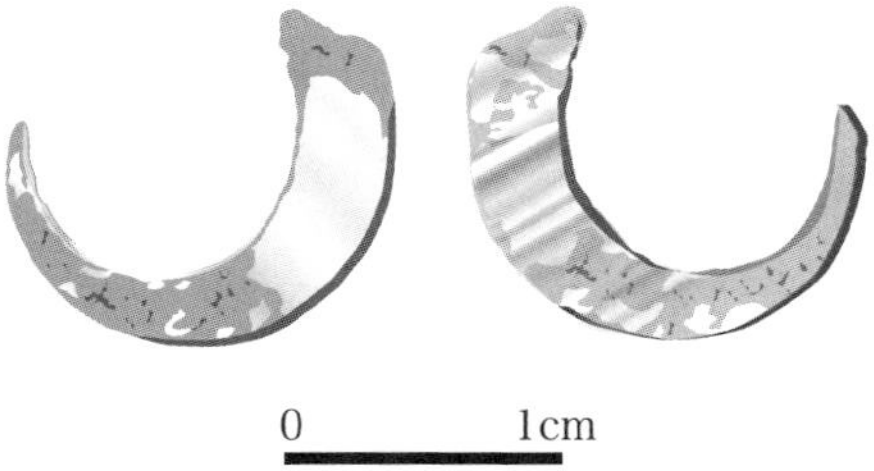

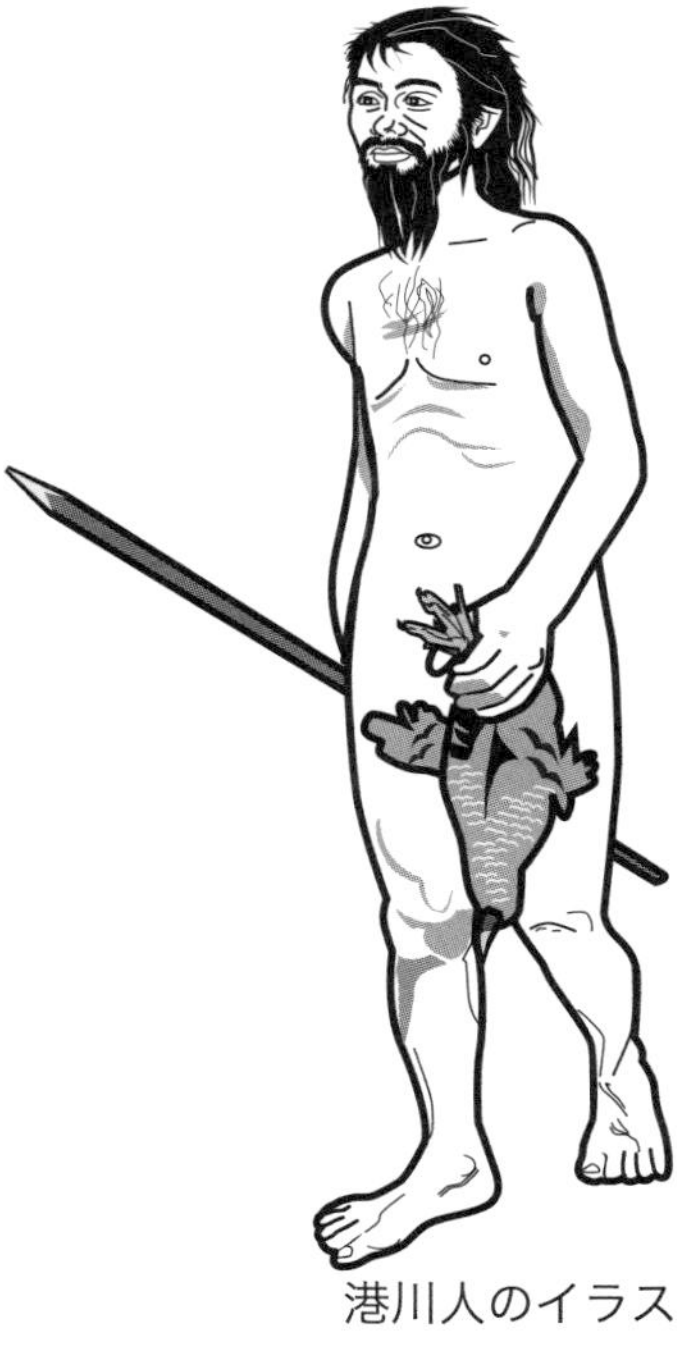

港川人のイラスト

しています。今のところは年代に空白期間があり、その繋がりが明確になっていないだけなんだと。

では、日本列島に辿り着いた倭人集団のルートやタイプはどうなのか？今のところは2通りあるとされています。そのひとつは、中国の長江以南の地域から大陸沿岸を北に向かって移動し、朝鮮半島を経由して九州の北部に至ったグループです。これをⒶインド・チャイニーズ系と表現し、その氏族は、安曇《あずみ》系とその傍系の集団が主流であろうと指摘している人たちもいますが、私は、大三輪《おおみわ》氏がその筆頭の集団だろうと想定しています。

もう一方の集団は、この本のテーマとなっている台湾から屋久島に至る「琉球諸島群」を経由して南九州に辿り着いたⒷグループです。これはインドネシア系と称されています。

南の島々と黒潮の流れ
倭人の移動

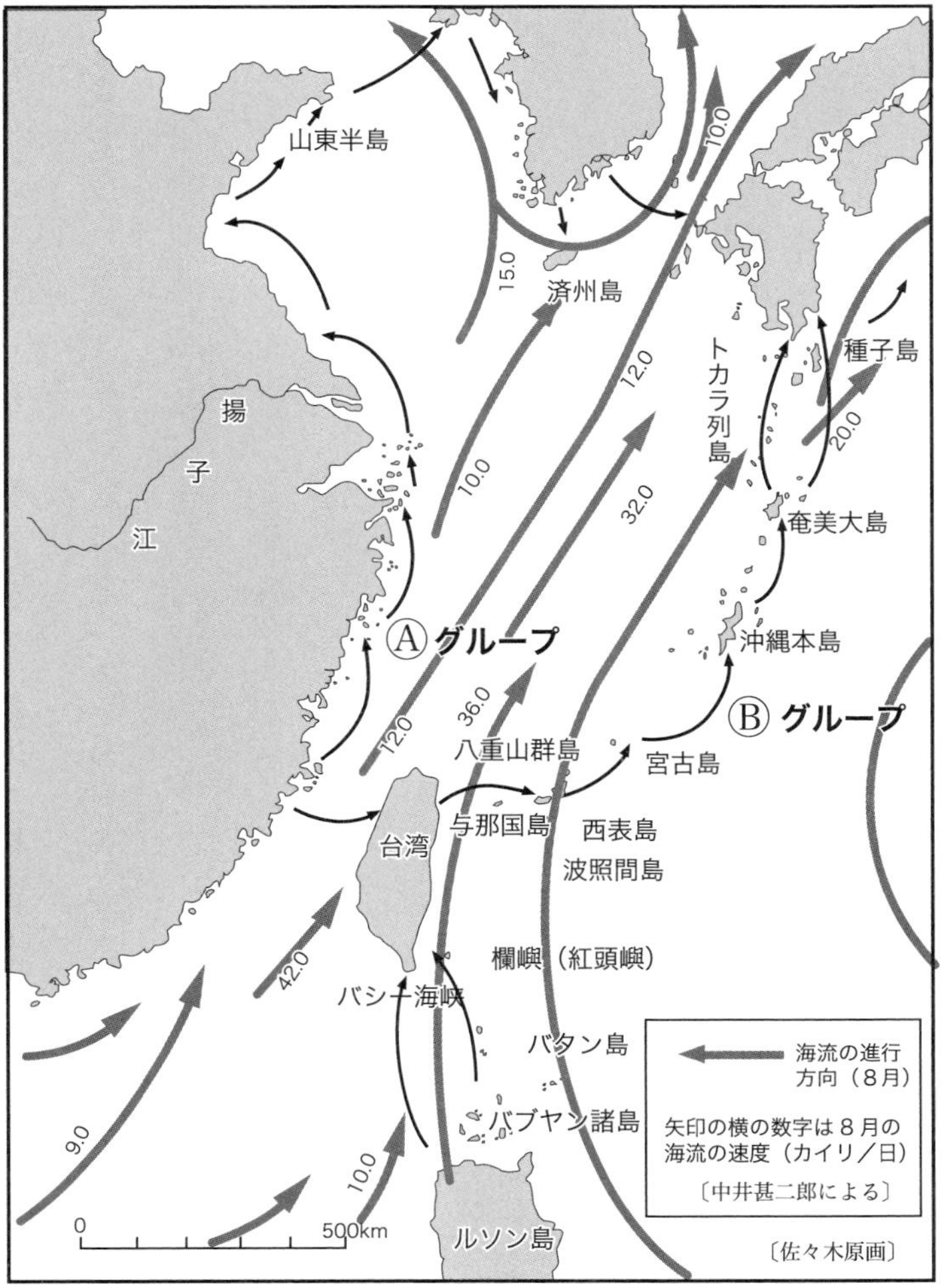
山東半島
済州島
揚
子
江
トカラ列島
種子島
奄美大島
沖縄本島
Ⓐグループ
Ⓑグループ
八重山群島
宮古島
与那国島
西表島
波照間島
台湾
欄嶼（紅頭嶼）
バシー海峡
バタン島
バブヤン諸島
ルソン島
15.0
10.0
12.0
32.0
20.0
36.0
12.0
10.0
42.0
9.0
10.0
0
500km
海流の進行方向（8月）
矢印の横の数字は８月の海流の速度（カイリ／日）
〔中井甚二郎による〕
〔佐々木原画〕

私は、Ⓐ やⒷ のように型に当てはめて表現するのは、人類の移動を皮相的にうわべだけをみて表現しているのではないかと思っているんです。というのも、ひとつめに、人類の移動は数万年にもわたって続けられていること。ふたつめ、人類の部族には様々なタイプがあり、決して2つのタイプだけにくることができないこと、そしてみっつめは、人種的にも赤・黒・黄・白と肌の違いがあり、瞳や髪の色も様々だからであります。学術的だと称して類型化するのは、人類の多様性を知る上で大きな障害をもたらすだけだと思っているのです。このような手法は、日本人を縄文型と弥生型の2つのタイプに分けて人を区別するのと同じようなもので、あまりにも単純にすぎていて、感心できないのです。人類の多様性にこそ注目したいのであります。

この本ではⒶ のグループについては詳しく触れません。あくまでもこの本の目的は「何故《なにゆえ》に琉球諸島群を経由した氏族のルーツや文化が粗末に扱われるのか？」がテーマなのです。

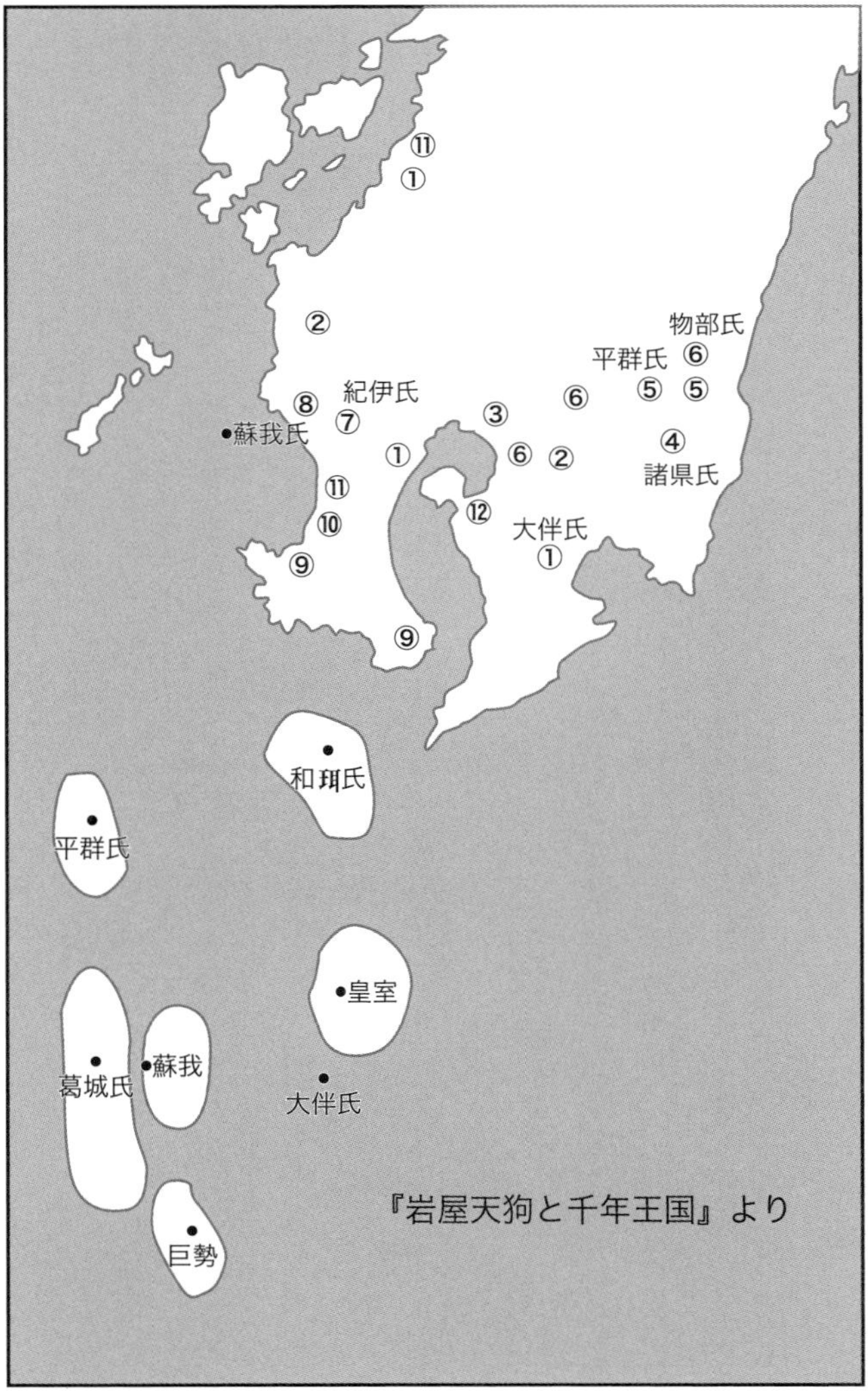

『岩屋天狗と千年王国』より

〈九州南部地域に割拠した氏族〉

では、Ⓑのグループにはどのような氏族がいたのか？『岩屋天狗と千年王国』を参考にしながら、わたしのこれまでの着想をもとにまとめてみました。脚色していますので、あくまでも仮説として観察してください。

九州南部に辿り着いた数ある氏族の中で私が最も重視している部族は、①蘇我氏です。というのは、蘇我氏は「姫《き》」という姓を名乗っており、この姓は中国の周を建国した古公亶父《ここうたんぽ》と同じであること。今から約３２００年前のことなのですが、古公の長男と次男は当時の都を離れ、倭人の格好をして、長江の南に呉の国をつくりました。この目的は、殷の貨幣であったタカラ貝の採集地と輸送ルートとを独占することにあったと思われます。彼等は倭人と協力して、タカラ貝の産地である「琉球諸島群」を押さえると共に、大陸沿岸などの輸送ルートを確保して力を貯え、殷の国を倒すまでになりました。長男の名前は呉太伯。次男は虞仲。姓は共に姫です。後になって卑弥呼やその他の倭人たちが「私は呉太伯の裔だ」と語ったと中国の史書に記録されているのは、島々を渡り歩いてタカラ貝を採集していた倭人らがいたことを連想させてくれる記録であります。彼等は、確実に何らかの形で繋がっていたのでしょうが、今となってはそれを証明するものはないのです。

ところで、周の始祖である古公亶父《ここうたんぽ》は、倭人と混血した人物であり、倭人集団とのネットワークは強固なものであったと思われます。彼にはこんなエピソードも伝えられています。

「もし敵が攻めてきた時には、戦わないで逃げる」というような不戦の誓いにも似た思想を持っていたと言われているんですね。これは「和をもって貴しとなす」とした聖徳太子こと蘇我入鹿にも繋がっていきます。古代日本において、蘇我氏こそ最も重要な役割を果たした氏族であったと私は推察しております。

続いて、②紀伊《き》氏です。彼等は本家筋の蘇我・姫氏と同じ系統の氏族であり、薩摩半島の伊集院で当初は過ごした後、紀伊半島に移動したのでしょう。この氏族の名前が半島名になっています。

③平群《へぐり》氏。宮崎の西都原《さいとばる》古墳群を築いた中心の部族であり、後に奈良県へ移動しています。「平群坐紀氏神社《へぐりいますきし》」と表現しているのは、紀氏と同族か、あるいは何らかの重要なサインなのか、気になるところです。

④物部氏。当初は宮崎県高鍋町・西都原周辺を拠点に。天皇家の縁戚筋に当たるとされています。後に石上《いそのかみ》と称する。古い日本の天皇系の子孫でナンバーワンの大族。

⑤皇室系と大伴氏。両者は常に共にあり。古《いにしえ》より天文をみる力があったと言われています。大伴氏は天皇に属する多数の臣民を率い、軍事も担当しました。

⑥和珥《わに》氏。中国の江南地方から辿り着いた海神族の流れをくむ氏族。4世紀に栄えた豪族で、春日《かすが》とも称しています。

西都原古墳

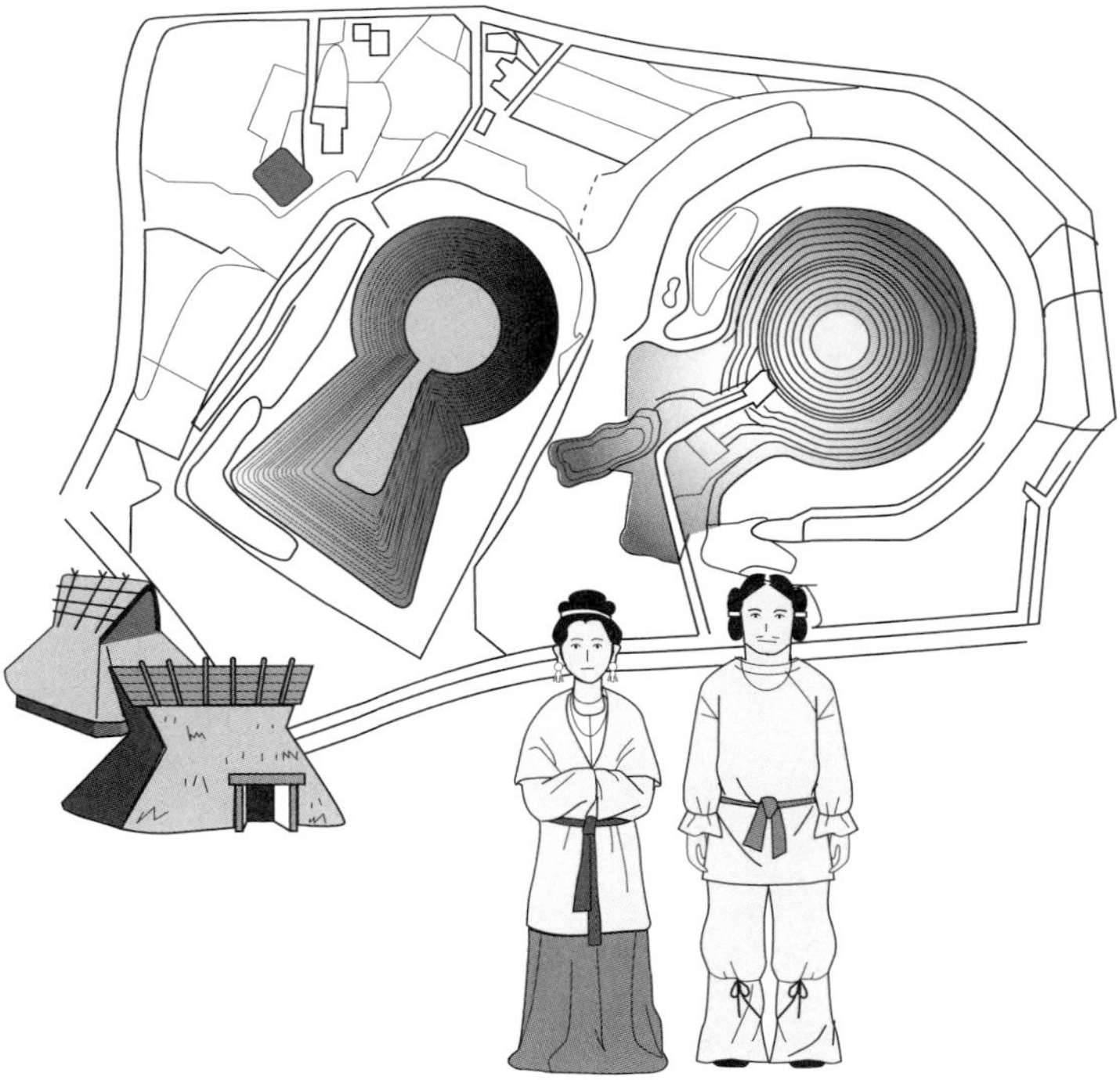

⑦巨勢《こせ》。武内宿禰の孫とされています。孝元天皇の裔。

このような氏族が九州南部に辿り着いた倭人集団の名前であり、正に海を渡る民、海人族・海神族なのであります。彼等の思想は「仲良くしなければ海は渡れない！」です。渡る途中で水や食料を補給しなければならないためにですね。まさに海幸彦の源流ともいえるものでありましょう。

このほかにも、葛城《かつらぎ》氏や熊曽《くまそ》氏などがあると記述されています。

『岩屋天狗と千年王国』の記録は、私にとっては頭をハンマーで打たれたような衝撃的なものでした。翻《ひるがえ》って、何かを隠したいグループにとっては脅威にも近いものでありましょう。物語はいよいよ山場を迎えます。天武天皇は、壬申の乱で功のあった氏族に「八色《やくさ》の姓《かばね》」と称して姓を授けます。

〈八色の姓に秘められたもの〉

「八色《やくさ》の姓《かばね》」とは、これまでに倭国を形づくってきた氏族を8つの姓に分けて身分を決めた制度です。この制度で最も高い身分を授けられたのは①皇族系に属する氏族で真人《まひと》と称しました。続いて②朝臣《あそん・あそみ》③宿禰《すくね》④忌寸《いみき》⑤道師《みちのし》⑥臣《おみ》⑦連《むらじ》⑧稲置《いなぎ》という順でした。この中で真人・朝臣・宿禰を与えられた注目すべき氏族は以下の通りです。

①大三輪《おおみわ》氏（大物主神＝大国主神の和魂《にぎたま》）の子である大田田根子《おおたたねこ》を始祖とする。北九州に辿り着き出雲に移った海神族で、後に奈良の三輪山に移動。三輪の君、大神ともいう。

②大春日（和珥氏）南九州を経てきた海人族の雄。海神の使いとされる「ワニ」の名を使った。5〜6世紀に奈良盆地へ移って春日を名乗った古代の豪族。

③阿部氏《あへ》（阿曇氏と同族）孝元天皇の裔。本拠は奈良県桜井市。天皇の食事や試食をつかさどる長官を勤める。
④巨瀬《こせ》（勢）氏（孝元天皇の裔）許勢小柄宿禰《こせこがらのすくね》を始祖。朝鮮半島との外交や軍事に従事する。
⑤膳部氏《かしわで》（阿部氏や阿曇氏と同族）古代の大王の食膳を管掌する氏族。大王に奉仕した海人族の仲間。
⑥紀氏（紀伊氏）孝元天皇の裔。前述の通り。
⑦物部氏（石上）神武天皇より早い饒速日命《にぎはやひのみこと》を祖とする。地の神、くにつ神を祀《まつ》ってきた古代の大豪族。物部氏から石上《いそのかみ》へ改姓。関連する一族が多い。
⑧平群氏。南九州に上陸後、北九州へ移動。後に奈良県平群町を本拠とした古代豪族。軍事を担当。孝元天皇の裔とされる。
⑨雀部氏（巨勢氏と同族）北九州から起こり兵庫県に移動。仁徳天皇の名のついた

自営の民をまとめた古代の豪族。神武天皇の後裔とされる。
⑩石川氏（蘇我氏の本流）孝元天皇の裔で、武内宿禰を始祖とする。波多、巨勢、平群、紀、葛城氏と同族。南九州から移動して、奈良盆地を本拠地とする。
⑪采女《うねめ》（物部氏の枝族）穂積氏とも同族。天皇に仕えた女官。
⑫穂積《ほづみ》氏（物部氏の枝族）神武天皇より先に大和に入った豪族で、饒速日命が始祖。物部氏の正統とされる氏族で奈良県田原本町を本拠とする。
⑬上毛野《かみけの》氏（崇神天皇を祖とする）群馬県を本拠地とした古代東国の大豪族。軍事・外交に携わる。
以上が「八色の姓」で朝臣を授けられた13の氏族です。

更に、壬申の乱で大海人皇子の勝利に大貢献したとして破格の扱いを受けたのが羽《は》田《た》氏です。「八色の姓」では最高位である皇族系の真人の姓を与えられています。
⑭羽田氏（孝元天皇の子孫）波多八代宿禰を祖とする。壬申の乱では大海人側に寝

返る。海人系の尾張氏族の説もある。第3の身分の宿禰には3氏族です。

⑮大伴氏。天孫降臨の時に先導した天忍日命《あまのおしひのみこと》の子孫とされる。物部氏と共に大王の軍事を担当。王に属する多数の臣民を率いた。

⑯佐伯氏（大伴氏と同族）天押日命《あまのおしひのみこと》を祖とする。大王の宮廷の警備や武力を行使する勢力として仕える。

⑰阿曇《あずみ》氏（阿部氏・膳部氏と同族）海神の綿津見命《わたつみのみこと》が祖。古代日本を代表する海人族で姓の意味は「海に住む人」です。発祥の地は北部九州で瀬戸内海から近畿に移動。日本の各地に一族の拠点がある。

この「八色の姓」で表彰された17氏族の特徴です。

Ⅰ倭国を創った皇族系と深い関係があった氏族。

Ⅱ南九州や北部九州から移動してきた海人族や海神族。

Ⅲ古くから倭国の土地の神々を祀ってきた地方の大豪族。

このような特徴をあげることができます。ここまでくるともうお判りかと思いますが、『岩屋天狗と千年王国』に記録されている九州南部に割拠した倭人集団のすべてが、壬申の乱では大海人皇子に味方しているのです。深いつながりを感じさせる現象です。

この「八色の姓」は、始祖の日本を形づくり、その伝統をつくってきた人たちを大切にする、ということなのでしょうか？　天武の胸奥が透けて見える気がします。

「百済の王族の意のままにはさせない！」「倭（和）をもって貴しとなす、この精神で国を運営する！」という強い意志を感じさせます。

実は私が連綿と飽くことなく氏族の名前を綴り続けてきたのは、前に述べたⒷの海人族の動向を知る為でした。つまり彼等こそ古い時代から「琉球諸島群」を経由して、南の海から日本列島に辿り着いた倭人たちの子孫なのです。しかしそうでありながら、この人々の長い歩みが日本の歴史には登場してこないのです。だからなのでしょうか?今も南の島々、沖縄が粗末に扱われているというのは…と考えたくもなってきます。どうも長い長い歴史が絡んでいるのではないか?とですね。

とまれ、天武は、壬申の乱によって聖徳太子こと蘇我入鹿らが目指した「和」を求める国として周辺諸国との全方位外交を目指します。その中心となった思想が海人族の「周辺の様々な部族と仲良くしなければ、海を渡ることができない!」であったと前に推察しました。正に周の始祖である古公亶父(倭人と混血した王様)の「敵と戦うような状況なら逃げる!」と同じです。このような周囲の人々と仲良く生きる不戦の思想が天武天皇時代の日本に生きていたのですが、天武の死と共にどんでん返しが起きるのです。

第9章　勝利をわが手に！海彦を封印せよ！

〈持統帝が爆発する〉

天武天皇は、自分の使命を果たして686年に亡くなります。彼は13年の在位期間のあいだに、海人族の「和をもって貴しとなす」という思想をベースにして倭国をまとめていきました。

ところが、天武天皇なきあとにドラマが起きます。持統帝が爆発するのです。凄まじいものです。持統帝は、天武の皇后の身でありながら、夫の政策と真逆の行動をとるんですね。持統帝は天武天皇が亡くなった5年後の691年に、詔を発します。18の氏族の系図や古文書を召し上げた詔《みことのり》です。これを関裕二氏の『古代神道と神社・天皇家の謎』から引用します。

持統帝は、日本書紀8月の条（691年）によれば、「18（とおあまりやつ）の氏に詔（みとこのり）して、其の祖等（おやども）の墓記（おくつきのふみ）を上進（たてまつ）らしむ」として、18の氏族の系図や古文書を召し上げました。

ところが驚くべきことに、18氏族のうち17の氏族は、先述しましたように天武天皇が壬申の乱に功績があったとして表彰した氏族なのです。一体何があったのでしょうか？手のひらを返すようにして悪者扱いにする！というのはどう考えても理解ができません。皇后なのですから、むしろ「天武かく誉め讃えたり！」として17氏族を賞讃するのが天の道にかなうというものでしょう。ところがそうしなかった持統帝にはどうしても譲ることができない何らかの理由があったはずなのです。

彼女のテーマは邪魔な17氏族を消せ！であります。正にイザナギが桃を投げて邪魔者を追い払ったことと同じなのです。この理由を知るためには力のあった「17氏族の正体を知ること」、「古い時代に南からやってきた倭人たちのリストを手に入れること」この2点を目標に調べてみました。この探索の旅でナビゲーターとして大きな力を発揮してくれたのは何と言っても『岩屋天狗と千年王国』でした。ここに書かれている記録は3500年前から2100年前頃までの間に連綿と次から次へと日本列島にやってきた倭人たちの足どりが記録されています。その氏族の名前は前述した通り「①物部氏②蘇我氏③紀伊氏④和珥氏⑤〈皇族系〉大伴氏⑥巨勢氏⑦平群氏」です。

続いて持統帝が召し上げた氏族のリストと天武天皇が「八色の姓」で表彰した氏族のリストです。まず「八色の姓」で天武が表彰した氏族は、最上級の身分の真人（まひと）では、①羽田氏だけです。続いて2番目の朝臣（あそん・あそみ）からは13氏族が指名されています。②大三輪氏③大春日氏④阿部氏⑤巨勢氏⑥膳部氏⑦紀氏⑧物部氏⑨平群氏⑩雀部氏⑪石川氏（蘇我）⑫采女⑬穂積⑭上毛野3番目の宿禰には⑮大伴氏⑯佐伯氏⑰阿曇氏の3氏で、あわせて17氏族が身分を授けられました。

がしかし、天武天皇は藤原氏を表彰しませんでした。当然といえば当然です。藤原氏は天智側、大友皇子に味方していたのですから。

しかし、持統帝が発した691年の詔には藤原氏の名前も入っているのです。これにも何か理由があると思うのですが、この件については後ほど触れることにします。

まずは、17部族は何者なのか?彼等の氏素姓が判れば持統帝が「フミを召し上げた」理由も判るにちがいない！と。そうすればきっと秘密の扉も開く！と全身がシビれるような予感がしてきたのです。それで17氏族の特徴をまとめて一覧表にしてみました。このように悪賢く、深い知恵は一体誰が考えたんだと。

持統帝が「フミ」を召し上げた人々の氏素姓《うじすじょう》の一端です

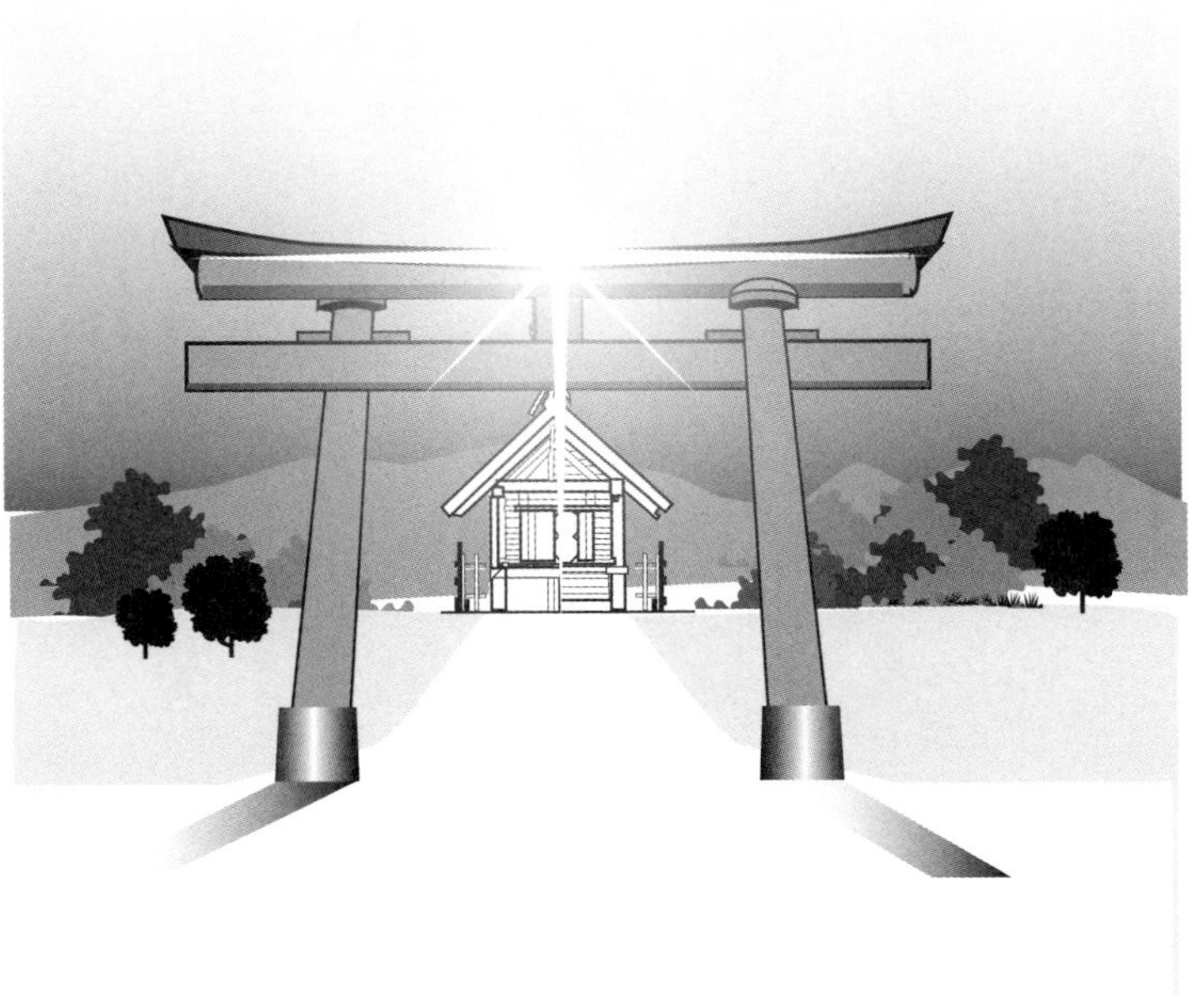

持統帝が「フミ」を召し上げた人々の氏素姓《ウジスジョウ》の一端

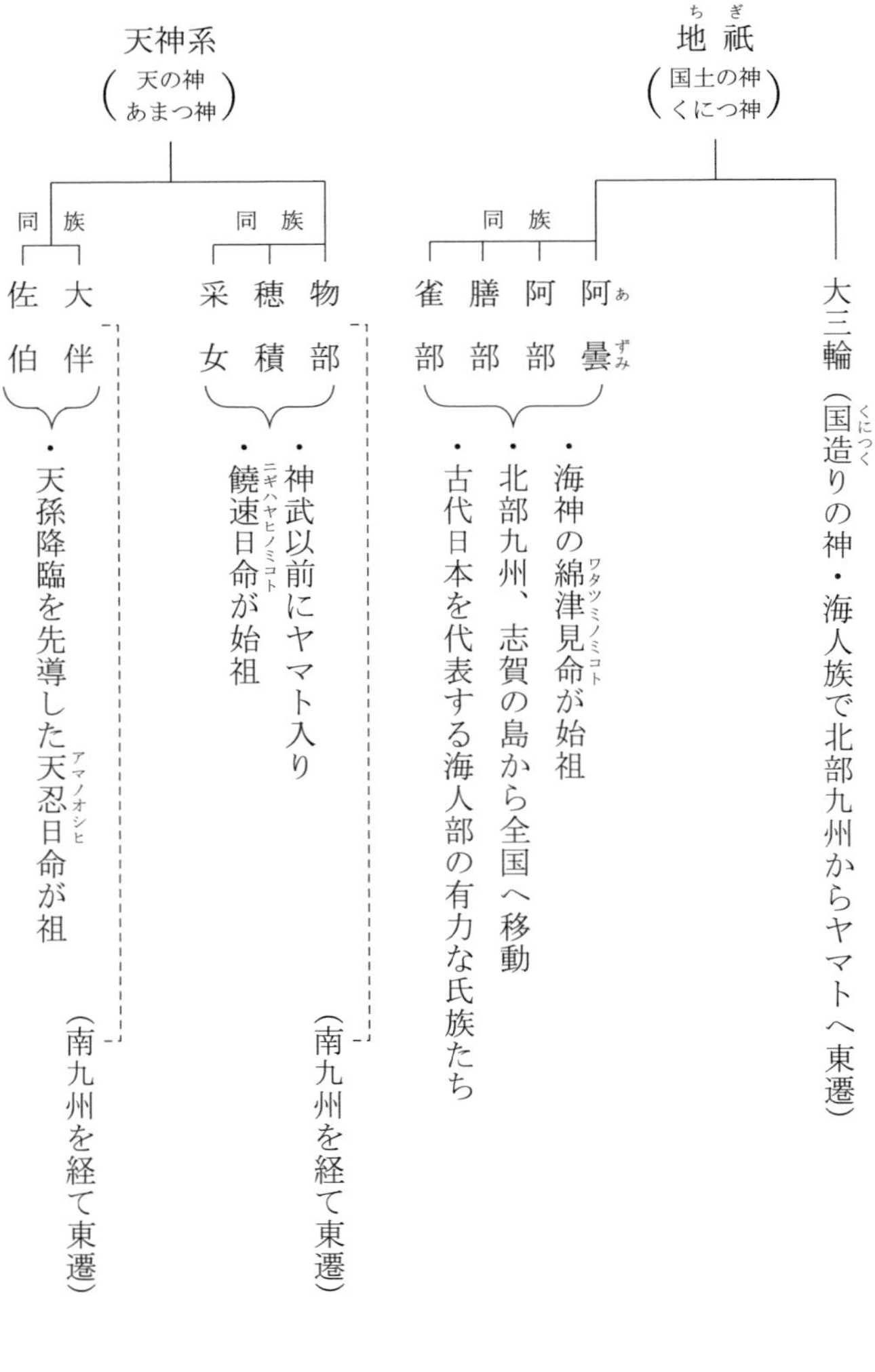

皇別
（天皇の子孫）

- 蘇我
- 巨勢
- 紀伊
  （以上、天皇の裔）
- 和珥　孝昭天皇の裔（海神のワニが姓）

南の海から琉球諸島群を経由して南九州から全国へ移動した海人族で古代を代表する氏族

古代豪族

- 平群　琉球諸島群を経由して南九州から東遷
- 羽田　皇別の古代豪族・全国に郎党広がる
- 上毛野　皇別の古代東国（群馬県）の大豪族

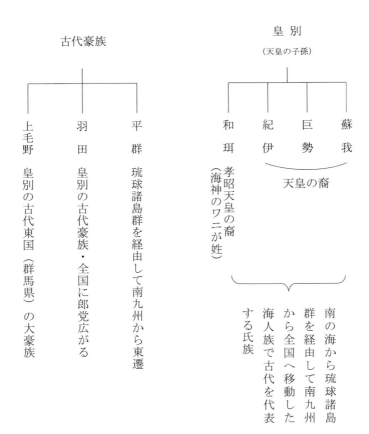

これを見てどのように感じましたか？一覧表を見ると、天武なきあとに持統帝が何を恐れていたかが判るような気がしませんか？

天武天皇が「八色の姓」で表彰した17の氏族は、いわば倭国の草創期からその中軸となって「国造り」を担ってきた人たちでした。

倭国の母体を形づくった「国造りの神」や天孫降臨以前、神武東征の前にすでにヤマトに居た「あまつ神」をはじめ、天孫降臨に際してはその先導役を務めたとされる氏族たち、そして何よりも目立つのは、南から海を渡って日本列島に辿り着いた倭人たちの子孫、海人族であります。北部九州から全国にその勢力を広げて行った海神＝綿津見の一族たち。それに古い時代から数千年に亘って琉球諸島群を経由して南九州に上陸し全国にその足跡を残した氏族。中でもずっと以前から日本列島に割拠していた地方の大豪族など。とてもとても一筋縄では制御できない有力な氏族ばかりです。

持統帝は、このようなビッグな氏族をどのように手なづけ支配するか？天武なきあとの5年間で策を練ったのでありましょう。その最善の一策が691年8月の詔だったのです。

あの頃の倭国には文字がなかったのだから、稗田阿礼《ひえだのあれ》の記憶を頼りに『古事記』を編纂したと伝わっておりますが、これはとても信じ難い話であります。

何故かと言うと、17の氏族は当時の日本を代表する、いわば国家の中枢を担っている部族たちです。しかも彼等は日常的に海上を移動し、文化や情報などを共有しているのです。その彼等に一族郎党に伝わった記録がなかった！文字もなかった！なんてこと信じられますか？

17氏族らが保管していた「フミ」を根こそぎ召し上げて焼き捨てるなんて、秦の始皇帝の焚書じゃあるまいし、とても許せるようなことではありません。文字がなかったなどと伝わっているのは、この「フミ」を焼いた後に誰かがデッチ上げた話としか思えないのです。

いずれにしても、私たちの日本は大事なものを失いました。ですから、「６９１年の持統帝の詔」は古代倭国を形成した本当の歴史を葬り去った大事件として強調し、記憶されてしかるべきでありましょう。

私は悔しいのです。南の海から琉球諸島群を経由して日本列島に辿り着いた倭人たちの歴史的記録が露と消えてしまったことに。南の島々の文化や歴史が粗末に扱われ、一部にはタブー視されるようになったのも、この大事件が端著をひらいたのです！

ですから、この大事件についてはもっともっと声を大にして、多方面から資料を集め深めて、真実に迫ってみるのも本物の日本の姿を知る上ではきわめて重要なことですし、ひいては琉球諸島群が持っている本当の姿や底力を知ることになると思っているのです。

17の氏族にとっては、自分たちが受け継ぎ、精神的な拠り所としてきた系図や「フミ」を取り上げられたショックはいかばかりだったでしょうか？二度と立ち上がれない程の痛手を受けたと思われます。一族の来歴や由緒ある出自の記録が焼かれ、根っこが切られたのですから…。これが策を授けた知恵者の狙いだったのかもしれません。

〈日本の古代史を物語にせよ！〉

日本の古代の歴史を藤原一族らが物語にしようと試みた最初の一撃は「乙巳の変にあった！」と私は思っています。倭国の王家と百済の王家とは、一部親戚関係にありましたから、どちらが主導権を取るか、王位継承で骨肉相食む熾烈な戦いがあったとしても不思議なことではないのです。それが現実のものとなったのが「乙巳《いっし》の変《へん》」です。

中大兄皇子と中臣鎌足らによる「蘇我入鹿の暗殺」これが歴史を曲げる大きな引き金になったのでありましょう。645年から聖武天皇が即位する724年までの80年間の日本の歴史はきわめて重要です。和を信条とする伝統的な日本にするか、新しい制度の整った日本にするか、この期間は国の進路をめぐって双方が力勝負をする歴史だったと私は思っています。この中でも持統帝の「18の氏族への詔《みことのり》」は、勝負を決めたど真ん中に位置する政策でありました。その政策はまた、天智天皇と藤原鎌足の痛切な願いの実現でもあったのです。それはつまり、「倭国王を百済系のDNAに置き換える」ということだった、と。

では、持統帝が天武天皇の皇后でありながら、どうして夫である天武を裏切るようなことをしたのか？ここが物語のいちばん面白いところです。このテーマは肝心要《かんじんかなめ》のところに位置します。

〈持統帝は天武天皇を裏切った〉

どうして裏切ったのか？この問いに対しては、皆が納得するような答えはありません。記録がありませんので、天武天皇なきあとの持統帝の行動から判断するしかないのです。私流の仮説を立ててみました。

①持統帝は天智天皇の娘ではなく、天智が所望した花嫁である

②６６２年、持統17歳の時に２人（天智と）の間に草壁皇子が生まれた

③天智天皇は「百済王統の血を絶やすな！」と持統に遺言していた

この仮説を前提にすると天武亡きあとの持統帝の行動指針がよく理解できるのではないでしょうか？

つまり、持統帝の心の奥底にあったものは、「百済王統の血をつなぎ、そのシンボルである草壁皇子を命がけで守り抜く」こと。そうでないと、天武の皇后でありな

がら691年の詔で天武と真反対の政策を打ち出すなんてことはとてもできない筈なのです。ましてや、持統帝が天智天皇の娘であるということは信じられることではないのです。

何故かと言うと、当時の女性は結婚すれば父親は横に置いておいても夫に尽くすものでした。しかし、天武なきあとの持統帝の振る舞いにはそれが微塵も感じられないのです。彼女は、天智天皇が亡くなった後、彼への一途な愛を心に秘めながら、天武へ輿入れしたのでしょう。

持統帝は、このような思いを天武に悟られないように慎重に、そして賢く行動しました。まずは、天武のまわりにいる幾多の女性の中で、自分が最も利用価値のある愛すべき女として、徹底して天武に尽くし通すこと、優雅に振る舞うこと、などを表現し続けました。その健気な姿が天武の心をまがうことなく射止めました。まもなく彼女が、天武の皇后としてその地位を獲得したことがその証です。持統帝ははた目も羨むほど、天武に尽くす皇后として演出し続けました。がしかし、天武なきあとの振る舞いは一変します。最初は目立たないように、です。一筋縄ではいかないあの実力ある氏族たちを向こうにまわして戦いを挑むのですから。「慎重な上にも慎重に、時間をかけて…」と心に決めて行動したのでありましょう。その証拠が天武なきあとの４年間の空白です。その間に、有力な味方になる者を探せば良い、天武に冷や飯を食わされた者は誰か？と。そうです、あの鎌足の息子の藤原不比等です。中国の書物を学び、30歳の働き盛りの戦略家、当代一流の知識人に成長した不比等。持統帝は彼を召しかかえたのです。懐刀《ふところがたな》として。持統帝はこれで天智＝鎌足のラインが目指したものを再び実行に移すことができると確信し、満面の笑みを浮かべたのです。６９１年8月の詔を発するまでの5年間で交わされた2人の会話をシンボリックにまとめてみました。

藤原不比等

〈691年の持統帝の詔〉

持統「あなたが中国古今の書に通じている、というのは承知しておるが、あの有力な氏族たちと戦う方法はありますか」

不比等「中国の始皇帝は、自分の地位を不動のものにする為に焚書坑儒《ふんしょこうじゅ》という政策を実施しております」

持統「フンショコウジュ？どういうことじゃ」

不比等「皇帝の支配をゆるぎないものにする為に、邪魔になる本は焼いて、自分に反対する知恵者は生き埋めにしたということであります」

持統「それが何か役に立つと申すのか？」

不比等「効果はあると思います。由緒ある氏族のフミを召し上げて焼き捨てればよろしい。拠り所を失います。」

持統「どういう氏族のフミを召し上げようか？そなたに何か策はあるか」

不比等「「八色《やくさ》の姓《かばね》では、私たち藤原は冷遇されました。あの政策で恩恵を受けた力のある氏族を選びなさるのが良いかと思われます。」

持統「力のある氏族とな？あの政策ではあまりにも多くの氏族が身分を授けられておる。どう選ぶというのじゃ？」

不比等「倭国の草創期からの氏族ではいかがでしょう」

持統「手のかけられぬ氏族もおろうが」

不比等「地の神、天の神、綿津見、海人族といろいろこの国の歴史を創ってきたものたちで良いかと」

持統「その者たちの由緒ある歴史がなくなるではないか！そなたは焼き捨てよ、と申したな」

不比等「焼き捨てて、新しい歴史を創り上げればよろしいのです。歴史書を準備して伝えればよろしいかと」

持統「歴史を物語にして偽造せよ、と申すのか？」

不比等「偽造ではございませぬ。我々に都合の良いものだけを残し、不都合なものは消し去れば良いのです。なに、時間が経てばそれが真実になるというものです。」

持統「そのようなものかのお？流石じゃ。安堵《あんど》致した。そちは恐ろしい程の切れ者じゃ。ところで、何氏族ぐらい想定すれば良いかの？」

不比等「18、とおあまりやつで充分かと思われます。その中に私ら藤原も入れ置かれるとよろしいかと…。」

持統「なにゆえにじゃ」

不比等「その方が調和がとれてよろしい姿になろうかと。」

持統天皇と藤原不比等らの百済再興を願ったグループは、天武天皇亡き後の5年間で「フミ」を召し上げる氏族のリストを作成し、実行する長期計画を練りました。前にも述べましたが「八月の詔」にどうして藤原氏を入れたのか？怪奇な現象とも言うべきものです。

〈不比等の深慮遠謀《しんりょえんぼう》〉

持統天皇は自分を補佐し新しい政策を立ててくれる藤原不比等らを推奨こそすれですよ！ましてや17氏族と同じように「一族のフミ」を召し上げると言うのでは、筋が通りません！これにも何らかの意図が隠されているはずです。

不比等の立場になって考えてみますと、およそ次のようなことが考えられます。考えの背景にあるのは、その後の歴史の推移からヒントを得ました。

①天武天皇が表彰した17氏族だけの「フミ」を召し上げるのでは目立ちすぎる。藤原一族も入れて平等感を演出し、百済系とは関係がありませんよというメッセージにする。
②藤原氏も同じように罰することで、裏で演出している不比等を隠す効果を狙う。
③これまでの藤原氏を切り捨てて、不比等一族だけが藤原姓を名乗れるように伏線を張っておく。
「691年8月の持統帝の詔」に藤原氏を入れたのはおおよそこのような背景が藤原不比等にはあったと思われます。うがちすぎでしょうか？

しかし、ここが藤原不比等のフヒトたるゆえんです。697年に持統帝が待ち焦がれていた草壁皇子の息子であり帝の孫にあたる文武天皇が即位します。その時に藤原不比等の娘、宮子が天皇の夫人になるんですね。この時から藤原の姓を名乗ることができるのは、不比等の子孫に限る！となりました。さらに724年には持統帝と天智天皇の曾孫が45代聖武天皇として即位し、不比等の娘、光明子が皇后になります。この結果、天皇は天智系、それを支えるグループには不比等系という風に長い間の習わしとして定着していきます。「乙巳の変」で中大兄皇子と藤原鎌足の2人が思い描いたデザインがここに完成をみるのです。このことによって藤原不比等が望んだ藤原一族の栄華の盤石な基礎が作られていきます。「フヒト」と言う名前の真骨頂でありましょう。

「聖の文字がついた2人の天皇を調べよ！」ということの真意は、645年から724年までの80年間は、日本の古代史を封印する重要な時代であったこと、そしてそれはまた、南の海を渡って日本列島にたどり着いた、国としての礎を築いた海人族たちの歴史や文化をも封印することであった、と。そのことを教えてくれた重要な言葉だったのです。

「691年8月持統帝の詔」は、結果として日本の古代史の真実を闇に葬る契機になりました。しかし、当時としてはまさか日本のルーツが封印されるとは誰も知る由はありませんでした。藤原不比等だけでありましょう、知っていたのは。稀代の演出家は、歴史までをも創造したのです。

持統帝は、６９７年に孫にあたる文武天皇に皇位を譲った後、藤原不比等らの協力を得ながら７０１年には大宝律令を制定します。この法律によって、天皇を御旗にした官僚機構が整備され、中央集権化が進んでいきます。持統帝は、「あなたとの約束をやっと果たしましたよ」とばかりに、いまわの際まで天智天皇のことを思いながら報告したのでしょうか？きっと安堵の笑みを浮かべながら７０３年に崩御したのでありましょう。彼女は、天智天皇・天武天皇の両天皇に仕えながら日本の古代史をリードしてきた強腕の女帝として眩しいほどの輝きを放ちながらその名を留めています。

終章　女帝の心の人と君たちへの讃歌

〈香具山《かぐやま》と畝傍《うねび》と耳成《みみなし》と〉

物語はいよいよ最終章に入ってきましたが、気になるものがあります。持統帝と天智天皇・天武天皇の両天皇との関係はどうだったのかということです。

これまで言い伝えられてきたのは「持統帝は天智天皇の娘であり、天武天皇の皇后で女帝になった」というものです。しかし、私は「持統帝は天智天皇の花嫁になって草壁皇子を出産し、天智天皇なきあとは、天武の皇后になった」と仮定しました。

どうしてか？ハビルとタオの会話です。

ハビル「あなたはどうして持統帝を天智天皇の花嫁だなんて大それた発想をしたの？」

タオ「壬申《じんしん》の乱の後の八色《やくさ》の姓《かばね》と691年8月の詔《みことのり》とがあまりにも真反対の政策でしょう？どうしても天智天皇の娘と言う立場では、ここまでは踏み込めないよね、と…。」

ハビル「凄い感性だと思うんだけど、どういう風に感じたの？」

タオ「普通ならさ、結婚した後は夫に従うのが妻としての道だと思うんだよね。しかし、天智天皇に対しては父親と言うよりもむしろ愛する人を慕うと言う風なんだよな〜、おかしい？」

ハビル「続けてよ。天武に対してはどうなの？」

タオ「まるで目の敵《かたき》に対するような対応だなあ、って。あの八月の詔は、冷たい！って感じがするよ。それに…。」

ハビル「それに？他にもあるの？」

タオ「そう、天《あま》の香具山《かぐやま》の和歌、覚えている？」

ハビル「香具山は、畝傍愛《うねびいと》しと耳成《みみなし》と相争いき…」

タオ「神代《かみよ》より、かくにあるらし、古《いにしえ》も…の次は？」

ハビル「んーと、しかにあれこそ、うつせみも…妻を争うらしき、でしょ？心に残る歌よね。」

タオ「そう、これは天智天皇が詠んだとされる歌なんだよね。問題なのは、この歌にある香具山《かぐやま》と畝傍《うねび》と耳成《みみなし》は誰のことなのか？だよね〜」

ハビル「やはり気になったのね。私もこの三角関係について若い頃調べたことがあったのよ。額田王《ぬかたのおおきみ》をめぐってのことと理解しているんだけど。」

タオ　「これまでの通説ではね。しかしさ、ぼくは香具山が天智天皇で、耳成が天武だとしたら、畝傍は誰になる？って考えたんだ。」

ハビル　「それで畝傍は持統帝ではないか？って考えたってこと？」

タオ　「そうなんだ！君はぼくが無理矢理にこじつけたと思っているかも知れないが、あの天智天皇が詠んだ香具山は…という歌にこたえるようにさ、香具山を詠んだ人は持統帝だけなんだよね。」

ハビル　「持統帝の、あの有名な、春過ぎて夏きにけらし…のこの歌がどうだっていうの？」

タオ　「歌の内容なんだよ！」

ハビル　「この歌のどこにあなたが感じたようなメッセージがあると言うの？」

タオ　「衣干《ころもほ》すちょう、天の香具山、の部分だよ。これをぼくは、あなた！やっと天かける衣が手に入りましたよ！って天智天皇に報告しているように聞こえるんだ」

ハビル「持統帝が歌で天智天皇に報告しているっていうの？飛び過ぎよお〜！」

タオ「そうかも知れないけど、発想した理由はやっぱり691年8月の詔なんだ。あなたと約束した百済の血統を残す道をやっと切り拓きましたよ〞というのが春過ぎて、夏きにけらし…の部分。」

ハビル「そこまで読むの？わたしには考えようもないわ。」

タオ「それだけあの持統帝の詔は日本の古代史を決定づける重大な政策だった、ということなんだ。春過ぎて…の歌には、愛する人への思いが満ち満ちている。天の香具山！あなた！と切に呼びかけているんだよね」

「持統帝にとって天智天皇は、娘から女性へと息子を授かったばかりか、女としてのめくるめき悦びを与えてくれた、何者にも代え難い存在であった！」とこのように想定しなければ天武なきあとの持統帝の行動は理解し難いのです。そのこころは、「和をもって貴しとなす」という倭国海人族の伝統を卒業して、天智天皇らが目指した「百済系の王族のＤＮＡで新時代を拓く！」だったのでありましょう。

見事なり！女帝かく戦えり！　であります。

令和を生きる君たちへ

持統帝が天に召された後の日本の歴史は、とても重要であり日本のことと沖縄の島々のことを深く考えるのに絶好の教材といえます。

７１０年には藤原京から奈良の都、平城京に遷都されました。また、藤原不比等らを中心に７１２年に『古事記』が、そして７２０年には『日本書紀』が立て続けに編纂され、新しい日本の歴史が記録されていきます。その方針はと言うと、藤原不比等が語ったように「不都合な真実は消し去って、必要なものは物語に仕立てても残す！」です。しかしながら、そのことが図らずも綻《ほころ》び始めているのです。それが『古事記』の「黄泉比良坂《よもつひらさか》を大きな石で封印した」であり、『日本書紀』の「691年8月の持統帝の詔で、有力氏族のフミを召し上げた」であります。

つまり、「都合の悪い記録は召し上げて焼き捨て、南からの歴史や文化を封印しましたよ」ということなんです。

この結果、日本人のルーツや国が形づくられてきた過程がはっきりしなくなった上に、南から海を渡って日本列島に住み着いた海人族の姿が見えなくなってしまいました。隠す大きな理由は「乙巳の変の本質をボカすこと」つまり、「倭国の王を暗殺し、百済の王族が倭国を乗っ取ったこと」を臣民に悟らせずに「蘇我入鹿を悪者に仕立てて歴史に残すこと」などであったのです。

「どうして琉球諸島群の歴史や文化が日本列島では粗末に扱われるのか？」という

私の長い間の疑問に対して、やっと解決する糸口が見つかりました。それを見つけるまでには、50年の歳月が過ぎていました。

この一連の古代史を封印し、物語化するのを担ったのが藤原不比等らのグループです。不思議な名前「フヒト」。この漢字の意味を並べ解いてみると、「人の大小を比べても、肩を並べる者がいない」となります。誰が名付けたか、その由来ははっきりしませんが、大きな自負が感じられます。それで私は、これは不比等本人が名乗り始めたのではないか？と思っているのです。しかし、どんなに勝れた天才が考えたものであっても『封印された秘密の扉は必ず開く！』ものなんです。

そろそろ、その時期が迫ってきています。

最後にあの二人に登場してもらいましょう。

ハビル「古代の琉球諸島群が辿ってきた歴史物語ってサァー。汲めども尽きないって感じでとても楽しかったわ。タオの着想も愉快だったしねぇ〜。でも南の島々の消された物語って本当に表にでてくるのかしらねぇ〜。

タオ「必ず出てくる！消し去られた歴史や物語は、表に出てくるようになっていて、隠し通すことはできないって感じなんだよなァー。」

ハビル「どうしてそう言えるのよォー。断定していいの？」

タオ「本当のことを知りたいって！こう決意する人が必ずいるんだよね？だから少しづつコジアケテ、積み上げげて明らかにされると思うんだよね」

ハビル「そうだと良いですがねぇ〜。でもサァーあなたが言う島々の根っこが7回も切られたっていう話、妄想としか思えないわ。あまりにも飛び過ぎていない？」

タオ「イヤー、僕はいたって真面目に考えているんだよね？この琉球諸島群は、北緯23度27分の北回帰線から北緯30度までの亜熱帯にある。この巾《はば》で地球を輪切りにしてみるんだ！」

ハビル「何があるというの？」

タオ「インダス・メソポタミア・エジプトと言えば…」

ハビル「古代文明・文明の発祥地？」

タオ「そう！それだけではないぞ、モーゼが十戒を授かったというシナイ山、メッカにブッタガヤと言えば？」

ハビル「世界三大宗教と関係がある地域でしょう？」

タオ「そうなんだよなァ〜。それに神話の世界の話。神は最初に最も高い所と最も低いところを造ったという話がこの地域にある！」

ハビル「ほんとう？エベレスト山…と琉球海溝？」

タオ「このすべてがここにある！おかしいでしょう？たった7度ぐらいの巾のアネッタイの地域にだよ！こんな凄いことがあるというのは何かがあるって考

えるのが普通でしょう？重要なサインじゃないかなァーとサァー。」

ハビル「重要なサインって？何かを暗示しているってこと？」

タオ「文明は２０００年毎にかわるってサァー。あのエジプト学者の吉村作治先生が言っていた。原因は気候変動なんだって。最近の気候がオカシクなっているのも文明が変わる兆候ではないかってね、そう思えるんだ。」

ハビル「吉村先生がそう言ったの？そう言えば２０００年が過ぎた今！丁度その区切りにきていると…タオは感じているわけ？」

タオ「我々の島々が苦難の歴史を背負ってきたのも新しい時代の、次にくる文明の創造に貢献しなさいって、こういう風に思えるんだよなァ」

ハビル「7度の巾のアネッタイが、この島々が、地球の新しい文明をつくるって？こんな発想するタオってサァー、不思議を通り越してない？」

タオ「自分の生まれた島に誇りや自信を持たないといけないなァーとサァー、19

の春からズッと思い続けてきた結果なんだよね。何か誇れるものがないかって、それでみつけたんだ。」

ハビル「それで地球を輪切りにしたと…。たしかにねぇ〜自分のふるさとに自信が持てると希望が出てくるし…誇れるものがあると勇気が湧いてくるよね？」

タオ「この島々が竜宮城のようにキラキラ輝いていたばかりにサァー。日本列島に大きな影響を与えたばかりになんだよなァー。焼き餅を焼かれたんじゃないかって…。」

ハビル「それが不比等らによって島の真実にフタをして苦難を背負わされるようになったというの？ わざと粗末な遅れた地域だと思い込ませようとしたというの？」

タオ「武力が巾をきかす時代になるとどうしてもねぇ〜力の弱い地域や争いを好まない人々の声は封印されがちでしょう。」

ハビル「それは確かに自己主張はやり難いわ。でもね？　たとえ根っこを何回も切られたって歴史が消されてもいつの日にかきっと、いや必ず島々を輝かせてみせる！って…心に誓っておればいいんじゃないかって私はそう思うの…。」
タオ「さすがにハビルだ、根っこを切られたってへこたれないかァー」
ハビル「そうよ！肝っ玉おばさんたちが今もいるし昔もいたのヨ！これがこの島々の目には見えない伝統というものでしょう？」
タオ「そうだよね。一族を束ね持ち上げてくれるウナイたちがいたから腐ることはなく、おだやかに、なごやけて…。日本の奈良朝からウスくなった「おおきな和のこころ」を持ち続けることができたんだと…。」
ハビル「ところでサァー、根っこが切られた第一回目の物語は、卑弥呼の頃の神話時代のことでしょう？このあとはどうなるの？」
タオ「二回目は隋書流求伝の頃、三回目が、天孫氏を滅ぼした利勇の時代になるのだがね…」

ハビル「次も期待していいの？」

タオ「今は、必要な時が来ればね?としか…」

〈あとがき〉

この本は、「どうして琉球諸島群や南の海を渡ってきた倭人＝海人族の歴史や文化が、日本列島では粗末に扱われるのか？」と言う私の50年来のテーマを形にした発展途上の物語です。この島々はこれまでの２０００年の間に7回も根っこが切られながらも「たおやかに・なごやかに和の心で」生き抜いてきた歴史をもっています。今回は、根っこを切り取られた第一回目の物語を書いてきましたが、まだあと6回も物語は残っています。１回目のここに、数千年前・数万年前の様々な事実や記録を織り混ぜて、不明なところは仮説で補いながら紡いで書き綴ってきました。

本の至るところに、発想のヒントになりそうなものを入れたつもりでいますが、その入り口を見つけ出すのはそれぞれの感性です。願わくば、この琉球諸島群（台湾島から与那国、西表、石垣、宮古、沖縄諸島や奄美群島を経由して屋久島まで）が歩んできた歴史や文化に触れて、自分なりのテーマを発見し学ぶこと、そしてゆるぎない自信に満ち満ちた「海を渡った民」の子孫として、自分を確立してほしいと思っています。

この諸島群にはホモ・サピエンスが歩んできた数万年にわたる歴史や記録、文化などが埋め込まれています。確かに、古文書類などは様々な理由で残っているものは少ないのですが、悠久を生きる地名、言葉、人の名前などにその面影やヒントになるものが標されています。例えば、昔の人の名前に「カマドゥ」という名がありますが、これは台所のカマドのことではなく、「すべての願いをかなえる女神」という意味のサンスクリット語なんだそうです。わが子に名付けるには最高の名前です。あるいは、ミドル・ネームで使ってみるのもウィットに富んでいて沖縄らしい表現になると思います。既に使っている人もいるんです！

サンスクリット語が出たついでにこれはなんと発音しますか？「ａｇｈａ」そうです

「アガー」です。痛い！という意味のサンスクリット語です。また地名にも不思議なサインを送っているものがあります。伊良部、伊敷、伊祖、伊差川、伊江島、伊是名、伊平屋、伊仙、伊集院、伊予、伊勢など。どうして「伊」がついているのでしょう？この島々は伊だらけと言って良いくらいです。この理由、訳を知りたいと思いませんか？「汝の足下を掘れ！そこに泉あり！」と言ったのはドイツの哲学者のニーチェです。沖縄の伊波普猷《ふゆう》も言っていますが…。自分たちの歴史や文化を知らないと、外国に行った時に困ります。そして外国の人たちから「自分の郷土や国の歴史と文化を知らないなんて、どんな学び方をしたの？」なんて言われ馬鹿にされ相手にされなくなるのがオチです。どんなことでも良いのです。自分のふるさとにあるもので、興味のあるものをひとつだけ見つけ出して、深く掘ってみるのです。そうしますとあなただけの、君だけの輝く何かが身に着きます。まちがいなくです！

歴史や文化は偉い人や学者・専門家のものだけにしてはいけません。今を生きる君の手に取り戻す学びが必要なのです。

『ここで緊急ニュースです。この本の最後の仕上げをしている時に、首里城が燃えている！の声。そら耳かと…。令和元年10月31日午前2時41分の通報。およそ11時間後に正殿を含め7棟が燃え尽きて灰になりました。西のノートルダム寺院と東の首里城。同じ年に起きた世界遺産の大惨事です。これは、地球人類に対する天からの何らかのサインに違いないと思いながら心を奮い立たせたのです。』

それではまた、お会いしましょう！

〈編集後記〉

私が生まれた所は、沖縄県今帰仁村《なきじんそん》今泊《いまどまり》です。ここは、山北王らが居住した今帰仁城の城下〝むら〟で家々は、福木の屋敷林で整然と区画されており、北風を避けるように林立している並木がとても美しいのです。株式会社ナンセイの稲福誠社長もここが故郷であり、またゴレスアカデミーの仲田俊一理事長の故郷も隣のスミガバルというところです。私がこの本を出版することができたのも両氏のご協力の賜物であり、心から感謝申し上げます。

また、出版に当たっては、イラストや構成、文字打ちを担当してくれた吉見万喜子氏や娘の杉山友子には、惜しみなく奮闘してくれお世話になりました。筆を置くに当たってお礼申し上げます。

上間　信久（うえまのぶひさ・別称しんきゅう）

1947年沖縄県今帰仁村今泊に生まれる
国費留学生として神戸大学に入学。卒業後大京観光大阪支社、沖縄県庁を終えて1973年琉球放送に入社。放送記者として警察、文教厚生農林水産、土木、経済などを担当。月〜金の1時間番組「RBCジャーナル」の制作に6年間タッチ。「大航海時代の遺産・泡盛」など多くの番組制作に当たり、東京支社へ転勤。
その後RBC営業担当取締役・報道制作担当常務を経て、琉球朝日放送常務へ転出。専務を経て2010年同社代表取締役社長に就任し、1年間の顧問を務めた後、2016年に退職。琉球いろはアイランズ社を設立してメディアで学んだ沖縄の文化を盛り上げる為に活動中で県泡盛同好会会長。

消された南の島の物語

2020年1月　印刷発行

著　者　上間信久
発行所　琉球いろはアイランズ社
〒900-0004　那覇市銘苅3-20-27
編集構成・イラスト　吉見万喜子
協　力　株式会社ナンセイ、学校法人ゴレスアカデミー
印刷・製本　株式会社 東洋企画印刷

ISBN978-4-909647-08-5　C0121 ¥1200E